CES ENFANTS qui bougent trop!

Déficit d'attention-hyperactivité chez l'enfant

Docteur Claude Desjardins

Les Éditions Québecor

Suzanne Lavigueur est psycho-éducatrice et professeur au département des sciences humaines à l'Université du Québec à Hull.

À tous les Philippe, Monique, Serge, Estelle, et René qui vivent avec cette réalité.

CES
ENFANTS
qui bougent trop!

LES ÉDITIONS QUEBECOR
une division de Groupe Quebecor inc.
7, chemin Bates
Bureau 100
Outremont (Québec)
H2V 1A6

© 1992, Les Éditions Quebecor, Claude Desjardins
Dépôt légal, 4e trimestre 1992

Bibliothèque nationale du Québec
Bibliothèque nationale du Canada
ISBN: 2-89089-804-0

Distribution : Québec Livres
Éditeur: Jacques Simard
Conception de la page couverture: Bernard Langlois
Illustration de la page couverture: Jonathan Plante
Coordonnatrice à la production: Sylvie Archambault
Correction d'épreuves: Jocelyne Cormier
Conception graphique et montage: ima G
Impression: Imprimerie Quebecor Mont-Royal

REMERCIEMENTS

Je suis très reconnaissant

au Centre de réadaptation La RessourSe pour son aide et son support dans la réalisation de ce projet.

à Loïse Stone, pour sa collaboration toute spéciale et son patient travail d'édition.

au Dr Céline Marchand, pour ses suggestions et ses corrections.

à Yolande Lavigueur, pour toutes les nuances apportées lors de la révision du texte.

au Dr Hosenbocus, pour m'avoir initié à la complexité du déficit d'attention-hyperactivité.

à Maurice Groulx, pour m'avoir sensibilisé à la réalité scolaire de ces enfants.

à Annette Cormier Pelletier, pour nos échanges éclairants sur le vécu des parents.

PRÉFACE

On a beau dire qu'on est tous différents, il y en a qui sont plus différents que d'autres! Et lorsqu'on se rend compte qu'un de nos enfants est parmi ceux-là, plus souvent qu'autrement, on se sent très désemparés, très seuls. On ne comprend pas ce qui se passe; on se perd en conjectures: est-ce moi qui ne sait pas quoi faire; est-ce une maladie; est-ce que cela se guérit; en grandissant…est-ce que cela va disparaître ou empirer; pourquoi lui ou elle; est-ce que j'ai fait quelque chose qui a causé ça? Et la liste de questions grandit de jour en jour tandis que les réponses sont rares et pas toujours satisfaisantes.

Heureusement, depuis plus de vingt ans, des parents intéressés se sont regroupés afin de promouvoir la recherche, l'information, la mise en place de services et groupes de soutien pour les aider à mieux faire face au défi que présentent ces enfants et leurs différences. Grâce à la persévérance et à la ténacité de ces groupes, la société a reconnu l'existence d'un handicap sérieux mais généralement invisible: les troubles d'apprentissage.

Le livre que le Dr Claude Desjardins a choisi d'écrire porte sur un de ces troubles qui fait exception à la règle: ceux et celles qui ont des enfants qui présentent une hyperactivité accompagnée d'un déficit d'attention savent jusqu'à quel point leurs enfants sont visibles! Il n'en reste pas moins que les répercussions profondes de ce problème ne sont pas nécessairement évidentes à la naissance, ni aux premières étapes de développement. Elle se manifestent à différents moments, selon les enfants.

Et c'est ici qu'il faut faire une mise en garde: ne confondez surtout pas un enfant très actif, curieux, fonceur et plein d'énergie avec un enfant hyperactif. Il y a une grande différence!

Voilà ce que le Dr Desjardins nous permet de mieux comprendre à la lecture de cet ouvrage rédigé à l'intention de ceux et celles qui veulent en savoir plus sur ces enfants.

Au nom des milliers de vies qui seront touchées par cet ouvrage, un gros merci à Claude Desjardins pour avoir si bien compris les besoins des enfants et des parents, et pour y avoir consacré une partie de sa vie.

Colette Trent

NOTE DE L'AUTEUR

Mon intérêt pour le déficit d'attention-hyperactivité remonte déjà à quelques années. Alors que mon travail de pédiatre était davantage orienté auprès de jeunes enfants présentant des problèmes de développement et vivant avec des handicaps multiples, j'ai voulu alléger quelque peu la lourdeur des problèmes à partager, sans toutefois trop changer de domaine. Je me suis alors intéressé aux troubles d'apprentissage académique, ainsi qu'au déficit d'attention-hyperactivité.

J'ai cependant bientôt compris que j'avais «fait fausse route»: les problèmes vécus par ces enfants et leurs parents rejoignent parfois ceux que l'on retrouve chez les familles d'enfants qui vivent avec un handicap, quel qu'en soit le type. On retrouve en effet dans ces situations, des problèmes qui ne sont pas toujours légers ni temporaires, qui sont passablement complexes, et dont les solutions sont loin d'être magiques. Le déficit d'attention-hyperactivité a ceci de particulier, qu'il est un mélange exagéré de différents aspects que l'on retrouve chez les autres enfants; en ce sens, le diagnostic n'est jamais évident, et la réalité demeure toujours difficile à cerner.

Mon objectif premier, en écrivant ce livre, est de fournir aux parents une source d'informations pour qu'ils puissent mieux comprendre les difficultés de leur enfant; pour bon nombre de parents, le simple fait de comprendre s'avère déjà d'un grand support. Je voudrais également que cette information soit de nature à les équiper, afin qu'ils puissent être en mesure, au besoin, de mieux composer avec les différents intervenants impliqués. Je voudrais éviter qu'ils soient à la merci de suggestions et de messages quelquefois contradictoires et éloignés de leur réalité. J'aimerais en quelque sorte faciliter le leadership qu'ils doivent très souvent exercer en ce qui concerne les besoins de leur enfant. Qui, mieux que les parents, partage la réalité quotidienne de l'enfant, et qui d'autre en connaît aussi bien les besoins? Ce livre s'adresse donc d'abord aux parents, et il est centré sur le vécu de l'enfant et de sa famille. Toutefois, par l'éclairage particulier qu'il apporte, il pourra également être utile à tout intervenant qui ressent le besoin de mieux comprendre ce que vit l'enfant et sa famille, afin que les formes d'aide qu'il va suggérer puissent y prendre racine.

La terminologie pose toujours un problème: «enfant hyperactif», «enfant hyperkinétique», «déficit d'attention-hyperactivité», «hyperactivité avec déficit d'attention», «syndrome de déficit d'attention-hyperactivité», autant d'appellations qui recoupent la même réalité. J'ai opté ici pour *déficit d'attention-hyperactivité*. Je me suis également abstenu de l'utilisation d'abréviation et du terme de syndrome; je préfère utiliser à l'occasion le terme d'entité.

À la fin du volume, j'ai regroupé les références bibliographiques de certains ouvrages consultés, ou de ceux qui seraient de nature à éclairer le lecteur qui voudrait approfondir davantage un aspect en particulier. Je dois préciser que le livre du Dr Barkley m'a été très utile, et me paraît présentement comme l'ouvrage-clef sur le sujet.

Ces enfants qui bougent trop est davantage le fruit de mon expérience clinique, éclairée d'études faites par de nombreux chercheurs intéressés à ce type d'enfants. Toutefois, mon expérience ne couvre pas la réalité complexe de situations où se retrouveraient des problèmes graves de comportements, et où la prise en charge relèverait davantage d'interventions psycho-sociales et psychiatriques.

Enfin, je désire particulièrement que ce livre puisse permettre à l'enfant avec un déficit d'attention-hyperactivité de se sentir mieux compris, et par le fait même accompagné par les personnes souvent nombreuses qui tentent de favoriser son développement au fil du quotidien.

TABLE DES MATIÈRES

Préface 11

Note de l'auteur 13

CHAPITRE 1

L'histoire de Philippe 23

CHAPITRE 2

Un survol historique 45

Des dommages cérébraux majeurs aux dommages
cérébraux minimes 46

Les années 60-70: L'hyperactivité 47

Les années 70-80: La période des difficultés
d'attention 48

Les années 80-90: On délaisse l'attention au profit
des difficultés de comportement 49

CHAPITRE 3

**En quoi ces enfants sont-ils différents?
Leurs caractéristiques.** 53

L'attention 54

L'hyperactivité 57

L'impulsivité 60

La variation des symptômes 63

Les déficits sous-jacents 66

CHAPITRE 4

Les causes 73

L'explication neuro-biologique 73

Les facteurs responsables 78

CHAPITRE 5

Conditions associées et particularités 83

Incidence 83

État de santé 85

Développement 86

Troubles d'apprentissage académique 89

Problèmes de comportement:
Agressivité et conduite 90

CHAPITRE 6

Évaluation diagnostique 95

La petite enfance 95

L'évaluation 98

Ses attentes 99

Documentation de la situation 100

L'examen médical 102

L'évaluation psychologique 104

L'évaluation orthopédagogique 105

Le diagnostic: critères et pronostic 106

Des situations qui se rapprochent du déficit
d'attention-hyperactivité, mais qui n'en sont pas 110

CHAPITRE 7

Ce que vit la famille 115

Un impact insidieux sur la famille. 115

Tous les membres de la famille sont concernés.......116

Le défi particulier des parents 117

Une escalade négative de la discipline 119

Certaines différences possibles entre le vécu
de la mère et celui du père.....................121

Un défi particulier pour les frères et les soeurs.......124

Interactions avec l'entourage 126

CHAPITRE 8

La médication 131

Un bref historique 132

Caractéristiques et mode d'action 132

La façon de le donner 133

Ce qu'elle apporte 134

Quel enfant peut en bénéficier? 135

Ses effets secondaires...........................136

L'accoutumance et la dépendance 138

L'enfant, le parent, le médecin, l'école et
la médication 140

Les incohérences 143

Faire un essai..................................143

Doit-on en prendre tout le temps? 146

Ça marchait, mais ça ne marche plus 148

Les autres formes de médicaments.................149

Les autres thérapies 150

CHAPITRE 9

Comment aider 153

Plusieurs intervenants, plusieurs formes d'aide 153

Préciser le contexte familial, le besoin de l'enfant et celui du parent 154

Quelques points de repère dans la démarche proposée aux parents 158

Certaines habiletés éducatives susceptibles d'aider l'enfant...................................159

Amener l'enfant à contrôler son comportement grâce à la pensée 166

Ce qui permet le changement et la complémentarité des moyens 167

Les groupes d'entraide...................................169

CHAPITRE 10

L'école 173

Un projet continu et exigeant...................................173

Composer avec les personnalités, les attentes, les limites et les ressources disponibles...............174

Un préalable à l'action: certaines informations pertinentes...................................178

Deux actions qui se soutiennent et se complètent: l'école et la famille...................................179

Quelques stratégies susceptibles d'aider l'enfant en milieu scolaire 180

CHAPITRE 11

Adolescence et perspectives d'avenir 185

L'adolescence 185

De l'enfance à l'adolescence 186

De l'adolescence au monde adulte 187

Conclusion....191

Bibliographie 193

CHAPITRE 1

L'HISTOIRE DE PHILIPPE

Dans ce premier chapitre, nous suivrons l'histoire de Philippe et nous l'accompagnerons au fil du quotidien, afin de découvrir qui sont ces enfants qui vivent avec un déficit d'attention-hyperactivité. Nous tâcherons de connaître ce que l'on pourrait appeler leur histoire naturelle, de préciser les caractéristiques de leur développement, de leur apprentissage scolaire et de leur comportement en général. Nous regarderons également le vécu de leurs parents, ainsi que le rôle que jouent ces derniers dans l'épanouissement de tels enfants.

Monique, qui travaille à la Fonction publique, décide de continuer à travailler jusqu'à la trente-sixième semaine de sa grossesse. Elle a cessé de fumer, ne mange que de «bonnes choses» et a réussi à ne prendre que le poids recommandé. Elle est vraiment fière d'elle! Les contractions commencent finalement deux semaines avant la date prévue et l'accouchement se déroule normalement. Après quatre jours à l'hôpital avec les visites de famille et d'amis, c'est enfin la joie du retour à la maison. Serge a d'ailleurs prévu une semaine de congé de la caserne de pompiers où il travaille. Sur la route du retour, lui qui a toujours eu un petit côté cascadeur au volant, est tout à coup extrêmement prudent. Il se retourne fréquemment pour regarder son fils, mentionne combien il est soulagé que tout se soit si bien passé, et se dit touché par sa beauté et sa fragilité. Monique, elle, n'en finit pas de regarder son garçon qui dort bien paisiblement. Et sur le chemin qui les ramène à la maison, tous deux se disent intérieurement que ça doit être ça le bonheur. Ils se sentent alors plein d'énergie et de potentiel, capables de donner à Philippe tout ce dont il aura besoin.

Les premiers mois se déroulent bien et on s'ajuste avec harmonie à la venue du premier enfant. Mais au quatrième mois, Philippe commence à dormir moins profondément. Il pleure de plus en plus souvent et de plus en plus longtemps, si bien qu'on consulte le médecin de famille qui croit comme eux que ce sont des coliques. On décide d'attendre, mais la situation se détériore rapidement et les nuits posent maintenant de gros problèmes. Le bébé doit sûrement avoir quelque chose qui ne va pas. On lui donne de l'acétaminophène, mais il n'y a pas de changement. On décide de retourner voir le médecin qui l'examine à nouveau, mais celui-ci ne trouve rien. Au hasard on change le lait; il semble y avoir une légère amélioration pour quelques jours si bien qu'on pense avoir trouvé le problème. Et puis non, tout reprend comme avant. Toutefois, comme il n'y a pas d'autres problèmes et que Philippe se développe bien, la mère de Serge blague un peu en concluant qu'il est comme son père était, un de ces bébés «braillards». À neuf mois, Philippe commence à se déplacer à quatre pattes et donne l'impression de toujours être sur le «go». En grand appétit d'actions, il est extrêmement fouilleur et vide les armoires du bas de la cuisine en un rien de temps; on a dû mettre des fermetures de sécurité sur celles où sont placés les produits de nettoyage. Les problèmes s'accentuent avec les premiers pas, et en très peu de temps, Monique trouve que son fils court beaucoup plus souvent qu'il ne marche!

Dans la semaine du deuxième anniversaire de Philippe, Gisèle, une des compagnes de travail de Monique, vient lui porter un petit cadeau. Les deux amies parlent de choses et d'autres, et Monique mentionne qu'elle ne retournera probablement pas travailler après son congé sans solde de deux ans. Elle trouve que son fils n'est pas prêt à se faire garder et elle a l'impression qu'elle serait vraiment trop inquiète. Pourtant, elle pense parfois que le retour au travail lui ferait du bien. Serge la laisse libre; il lui dit que c'est sa décision à elle, mais elle n'arrive pas à se décider. Elle raconte à son amie à quel point Philippe est agité. Celle-ci peut d'ailleurs très bien constater qu'on a enlevé tous les bibelots du salon. De plus, il semble qu'il n'ait aucun sens du danger. Il s'aventure et grimpe partout, comme animé par un besoin incontrôlable, poussé par une force interne qui est plus forte que lui. La voisine a suggéré qu'il était peut-être hyperactif, et on se demande si elle n'a pas raison. Monique avoue à son amie qu'elle se retrouve en fin de journée essoufflée, épuisée, et qu'elle a hâte de mettre Philippe au lit afin de pouvoir enfin respirer. Sa fatigue ne vient pas uniquement de l'agitation de son fils, elle vient aussi du fait qu'il est difficile de pouvoir faire calmement des activités structurées de développement ou de stimulation avec lui. Dès que l'on sort un jeu, il se met à y jouer à sa façon, invente ses propres règles, et le tout ne dure que quelques minutes tout au plus. Gisèle écoute, sympathise avec son amie, mais il est temps pour elle de retourner au travail. Elle lui offre ses services pour garder Philippe à l'occasion. Monique apprécie son geste et se sent comprise.

■

Philippe aura bientôt quatre ans, et il continue à se développer normalement. Il fait des phrases de plus en plus complètes et il est capable de reproduire un cercle. Les activités de découpage et de dessin sont de courte durée, et Monique se rend compte qu'il n'écoute pas toujours ce qu'on lui dit. Elle constate aussi que la communication affective n'a pas toute la qualité qu'elle souhaiterait. Le soir au coucher, quand c'est le temps de l'histoire, Philippe se laisse si facilement distraire! Il s'amuse avec le coin de la couverture, joue avec la montre-bracelet de Serge, passe ses doigts dans le tricot lâche du chandail de sa mère, ou encore, si elle n'a pas encore eu le temps d'enlever son collier au retour d'une sortie, il s'amuse avec comme si c'était un boulier. Avec le temps, Serge et Monique ont vite compris qu'il faut aussi s'ajuster avec le monde extérieur. Ainsi, on évite les sorties trop répétées chez les amis et on ne va pas non plus trop souvent au restaurant, sauf s'il s'y trouve une salle de jeux pour enfants.

À la maison, on doit progressivement s'ajuster. Ce n'est pas nécessairement qu'on soit des parents plus tolérants que les autres, mais on a compris que crier, que dire «non» si sévèrement soit-il, réglait rarement la situation. Et puis, il y a des limites à discipliner, à structurer, surtout lorsqu'on se rend bien compte que les résultats sont loin d'être à la mesure des énergies investies. En plus, Monique et Serge ont envie d'être juste des parents bien ordinaires, des parents qui se veulent autre chose que des contrôleurs du comportement de leur enfant.

On décide enfin qu'il est temps d'envoyer Philippe en garderie. L'ancien poste de Monique vient tout juste de se libérer temporairement, et elle pense qu'il serait bon pour elle de retourner au travail. On choisit donc une première garderie en milieu familial à quelques minutes de la maison. On est bien sûr un peu inquiet parce que cela représente vraiment pour Philippe une première expérience de socialisation, mais d'autre part, on se dit «qu'il n'est pas si pire que ça» et qu'il arrivera sûrement à s'adapter.

À la garderie, on sent dès le début que ça ne va pas trop bien. Lorsqu'on va le chercher en fin d'après-midi, la gardienne mentionne parfois qu'il est passablement agité. Puis le mois suivant, elle ajoute qu'il est épuisant et de-

mande à Monique: «Mais mon Dieu, comment faites-vous?»
Et quelques semaines plus tard, elle annonce qu'elle ne peut
plus le garder. «Ce n'est pas qu'il soit méchant, dit-elle, mais
il n'écoute pas ce qu'on lui dit et il dérange tout le temps.»
Elle ajoute qu'il y a trois autres enfants qui ont aussi besoin
d'attention, et qu'avec Philippe autour ça devient vraiment
trop difficile. Elle demande à Monique s'il a toujours été
comme ça; puis, comme le père et la mère ont l'air de
parents «qui font tout leur possible», elle leur offre de le
garder encore jusqu'à ce qu'ils aient trouvé une solution.

De retour à la maison, c'est une nouvelle confrontation. Serge dit à Monique: «Je te l'avais bien dit qu'il
faut être plus ferme. Tu le laisses trop faire, on est en train
d'en faire un petit monstre. Il faut arrêter de crier après,
ça ne donne rien. Regarde, moi, j'ai beaucoup moins de
difficultés avec lui». Et Monique de répondre: « On sait bien,
ce n'est pas toi qui t'occupes de la routine de la journée,
du lever, de chaque repas, des jouets à ranger, du bain à
donner. Si je n'avais qu'à l'emmener magasiner, aller glisser
et me tirailler avec lui, l'intégrer dans mon bricolage, je
pense que j'aurais moi aussi moins de problèmes.»

On finit par trouver une nouvelle garderie, un peu
plus éloignée celle-là, mais comme c'est la seule place
disponible et que ça fait déjà deux mois qu'on attend, on
s'empresse de faire l'inscription. La première gardienne a
été bien patiente, et a continué de garder Philippe tout ce
temps-là. Quant à Philippe, il se demande pourquoi il faut
changer. Lui, il aimait bien ses amis et il ne veut pas d'une
autre gardienne. On évite la question. On essaie plutôt de
lui montrer les avantages de la nouvelle garderie qui est si
bien organisée et aménagée avec beaucoup de jeux et de
matériel nouveau. Serge et Monique se disent également
que le personnel y est plus spécialisé, et que les éducateurs
pourront peut-être mieux répondre aux besoins particuliers
de Philippe.

neveu qui est hyperactif, et j'ai déjà eu d'autres enfants comme Philippe dans ma classe; j'en ai même vu des pires! Mais c'est un bon garçon qui est toujours prêt à rendre service. Disons que s'il présente des problèmes particuliers, je vous téléphonerai». Ouf! Une maîtresse en or, une personne qui sait comprendre!

Fin novembre, Estelle doit quitter pour raison de maladie et la période est indéterminée. Puis deux semaines plus tard, c'est la convocation pour problèmes de comportement. La nouvelle enseignante est à bout de souffle: «Philippe est en train de m'épuiser», dit-elle,«une chance que je n'en ai pas d'autres avec des difficultés semblables». Elle n'accepte pas qu'il l'écoute si peu, elle l'envoie souvent dans le coin, l'isole, mais ça ne marche pas. Elle dit qu'il est devenu agressif avec les autres, qu'il bouscule et se tiraille pour un rien, qu'il est souvent impoli. Serge et Monique lui expliquent les difficultés de Philippe. Mais dès qu'ils ouvrent la bouche, ils se sentent tout de suite jugés, un peu comme si l'enseignante leur disait :«Mais avez-vous déjà entendu parler de discipline, de structure? Cet enfant vous mène par le bout du nez, vous ne pensez pas qu'il est à peu près temps que vous arrêtiez ça?» Heureusement, Estelle, qui revient à la mi-janvier, leur évite de justesse que la maternelle ne devienne un cauchemar.

■

Pour la première année qui s'en vient, on n'anticipe pas trop de problèmes du côté académique. Mais une classe de 29 élèves, avec un programme du ministère à rencontrer, un pupitre et une chaise sur laquelle on devra rester assis, ce n'est pas gagné d'avance! Philippe, lui, est tout excité à l'idée d'aller à l'école toute la journée comme un grand. Quant à Monique et Serge, ils se rendent compte qu'à l'école leur fils est déjà connu, presque étiqueté. Le principal est un homme bien responsable et fier de son école; il veut que cette dernière soit un milieu vivant et agréable pour tous. L'enseignante est jeune et dynamique et n'a pas peur des défis.

Septembre et octobre passent sans téléphone ni convocation. Est-ce possible? La fin de la première étape se termine et du côté discipline, elle se solde uniquement par deux écarts de comportement notés sur le bulletin. Sans plus. Est-ce qu'on se serait trompé?... «Je te l'avais bien dit, il fallait être patient», affirme Serge. Le soir même, à la rencontre des parents, on se rend compte combien l'enseignante est attentive à la manière dont Philippe fonctionne. Elle l'a placé au pupitre juste en face d'elle, et elle sait vraiment l'encadrer et comment le rappeler à l'ordre. De plus, elle a adapté certaines approches péda-gogiques de nature à inciter la participation maximale de Philippe. Afin de minimiser ses occasions d'impulsivité, elle ne demande plus à tous les élèves de la classe de lever la main lorsqu'ils ont la réponse, mais elle y va plutôt de façon sélective, en demandant à une rangée en particulier de lever la main. Elle accepte aussi qu'il ne soit pas toujours assis sur sa chaise pour travailler et lui permet quelquefois de faire son travail debout. Sa sécurité lui permet d'accepter plus facilement que Philippe soit parfois différent des autres enfants, et parce qu'elle-même l'accepte tel qu'il est et s'ajuste à ses besoins, les autres élèves aussi en sont arrivés à le percevoir comme l'un des leurs, avec sa manière bien à lui. De plus, comme il ne présente aucun problème académique et que sa première année est garantie, on peut se permettre parfois d'être un peu plus tolérant.

En février de la deuxième année scolaire, tout éclate. On avait certes remarqué que l'enseignante avait un style différent de celle de la première année, et d'après les commentaires spontanés de Philippe, on se doutait que les choses n'allaient pas trop bien. De plus, les notes que l'enseignante faisait parvenir à la maison n'étaient vraiment pas très encourageantes. À la réunion convoquée par l'école, on apprend que Philippe perd souvent son temps, qu'il est distrait, qu'il est agité, qu'il ne termine jamais ses travaux à temps, de sorte qu'il prend de plus en plus de retard. Il aurait même adopté un comportement agressif dans beaucoup d'activités. Une seule note positive au tableau, c'est son bon comportement dans l'autobus. Mais son année semble cette fois grandement compromise. De plus, on souligne avec plus de fermeté cette fois, que Philippe est sûrement un enfant hyperactif et qu'il devrait recevoir du Ritalin. L'évaluation psychologique faite à l'école a confirmé qu'il s'agissait d'un enfant intelligent, dans la moyenne supérieure pour beaucoup d'habiletés, mais qu'il présentait aussi de sérieux problèmes d'attention.

On retourne à la maison. La rencontre a été comme une gifle. Ce n'est pas la première fois qu'on se fait dire de tels commentaires, mais on sent en quelque sorte que la minute de vérité est arrivée et qu'il faut maintenant faire face à la réalité. On a toujours su qu'on n'avait pas un petit bonhomme facile, mais il faut maintenant admettre qu'il a des problèmes sérieux et que ceux-ci ne sont pas seulement temporaires. Le père résiste encore: «Je pense qu'ils exagèrent et qu'ils n'ont vraiment pas le tour avec mon gars; j'étais pareil à l'école et ça ne m'a pas empêché de réussir». Quant aux résultats de la rencontre elle-même, on n'en parle pas avec Philippe qui sent pourtant bien que quelque chose d'inquiétant se passe. D'ailleurs le moment de cette crise à l'école est certainement mal choisi, car ça ne va pas trop bien entre Serge et Monique, en partie à cause des difficultés de Philippe, en partie pour d'autres raisons. Pour le Ritalin, que tout le monde recommande à l'école, on lit un peu sur le sujet, on écoute les opinions. Cela leur semble risqué et c'est paraît-il plein d'effets secondaires. De plus, on n'en sort pas, ça reste des médicaments et sous prétexte de le tranquilliser on n'a pas envie de faire de Philippe un drogué ni un délinquant, car on a entendu à une émission de télévision que c'est là que les médicaments pouvaient mener.

Le coup est d'autant plus dur à prendre que depuis six à huit mois, on avait fait des efforts de famille et beaucoup investi pour aider Philippe, surtout en ce qui concerne les amis. En effet, il a vraiment de la difficulté à ce niveau-là; d'une part à s'en faire, d'autre part, lorsqu'il s'en est fait, d'arriver à les garder. On a pensé que les activités sportives d'équipe l'aideraient; alors à l'été, on l'a inscrit dans une petite ligue de balle. Mais il veut toujours être au bâton, est très souvent distrait, et à l'arrière-champ quand la balle est frappée dans sa direction, il est continuellement en train de faire autre chose, comme des figures avec des fleurs de pissenlits, lancer son gant dans les airs et essayer de le rattraper, apprivoiser un chat qui rôde autour. Évidemment, il finit sur le banc et trouve ça pas mal ennuyant. La même histoire se répète au «soccer»; il frappe le ballon à tort et à travers et se fait éliminer là aussi très rapidement. Au hockey mineur, il ne suit pas sauf lorsqu'il est sur la glace et, encore une fois, il embête son équipe: il a même, à une reprise, compté un but dans son propre filet. L'entraîneur et les autres parents plutôt compétitifs ne l'ont vraiment pas pris! Dans ces sports de groupe, tout se passe comme s'il avait de la difficulté à s'ajuster aux règles du jeu qu'il connaît pourtant très bien. Quant à la classe de natation, il arrive à peine à faire ce qu'on lui dit le tiers du temps. Ensuite il ne veut que s'adonner à la nage libre et sauter dans l'eau. En ce moment, un peu en dernier ressort, on vient de l'inscrire au karaté. Ce n'est pas un sport d'équipe, c'est à la mode et il semble que ce soit bon pour ce type d'enfant. Heureusement, il y a le Nintendo; alors là attention, il bat son père, il bat tout le monde, ce qui fait dire à Serge: «Qu'on ne me dise pas que mon fils a des problèmes d'attention, il est plus attentif à l'écran que n'importe qui!»

33

Il y a pourtant un endroit qui semble sans problème et c'est dans l'autobus scolaire. On se demande d'ailleurs pourquoi. Un jour où il va faire une commission au dépanneur, Serge rencontre René, le chauffeur d'autobus. Il se présente et lui demande comment ça va avec son fils. René lui sourit et lui dit qu'il aime bien Philippe. Il lui dit aussi qu'il sait ce que c'est que d'avoir un enfant différent des autres. Il a une fille handicapée physique qui a maintenant treize ans; il a fait un lien entre les enfants handicapés et ceux qui présentent une forme sévère d'hyperactivité. Pour lui, ce sont tous des enfants vivant avec une forme ou une autre d'handicap, et tant qu'on n'acceptera pas d'adapter à la fois les attitudes et les milieux de vie à leurs besoins différents, on aura toujours beaucoup de difficultés avec eux. Il explique que dans l'autobus, il y a un enfant avec des problèmes de motricité qui se déplace avec des béquilles spéciales, et qui ne peut ni monter ni descendre seul de l'autobus. À chaque trajet, il doit donc l'aider à monter et à descendre. Philippe aussi, à cause de son problème, a de la difficulté à fonctionner dans l'autobus et a besoin d'être aidé. Ainsi, le chauffeur dit qu'il le fait asseoir près de lui, et qu'il fait en sorte que le voyage de l'école à la maison soit un jeu. Il faut par exemple trouver combien il y a de A, de B ou de C sur la pancarte indiquant le nom de la rue ou combien il y a de lettres, ou encore, il faut dire les numéros qu'on voit sur la plaque de l'auto en face de l'autobus. Et si Philippe les identifie bien, alors René lui donne un bonbon à la menthe. Serge est bien impressionné par la compréhension de René ainsi que de la façon dont il s'adapte à chacun des enfants. Il le remercie chaleureusement et lui dit un peu timidement combien des gens comme lui contribuent à soutenir et à encourager les parents.

Malheureusement, Philippe ne passe qu'une demi-heure par jour avec René et malgré cette expérience positive, il en est tout autrement ailleurs. On décide donc qu'il est temps d'aller consulter. On va voir le médecin de famille qui, après avoir discuté avec les parents, propose de prescrire du Ritalin. Il fait référence à un spécialiste en développement de l'enfant, mais ce dernier ne pourra voir Philippe qu'en juin. En attendant, on décide de commencer la médication. Ça fonctionne immédiatement! Philippe est plus calme, moins distrait, termine davantage ses travaux, semble plus «présent»; quant aux résultats académiques, ils s'améliorent. À l'école, on est content, et l'amélioration a un effet bienfaisant de réconciliation. Quant à Serge et Monique, tout en demeurant encore un peu inquiets, ils sont eux-mêmes plus calmes et ils ont promis à leur fils une bicyclette en juin s'il est promu en troisième année. Philippe avait vraiment besoin de cette poussée dans la bonne direction. On ne sait trop jusqu'à quel point le Ritalin est responsable, mais il semble qu'il lui a donné l'occasion de vivre de petites réussites qui devenaient essentielles pour lui. C'est comme si le printemps avait vraiment eu l'effet d'un nouveau départ. Ça se poursuit si bien qu'on décide d'annuler la visite chez le médecin spécialiste. Les vacances d'été aidant, ça roule définitivement mieux partout, y compris sur la nouvelle bicyclette. Sans Ritalin, l'été se passe bien, sauf peut-être au mariage d'une nièce et lors d'une réception à la maison (deux situations où d'autres parents vont souvent décider de redonner la médication). On fait ensuite un voyage dans les Maritimes un peu difficile mais néanmoins agréable dans le contexte. De plus, Philippe s'amuse beaucoup dans un camp de vacances, où l'on est tombé sur des moniteurs pleins d'enthousiasme.

Encore septembre. On hésite à reprendre le Ritalin. Philippe est bien reposé, et les parents se sentent plus disponibles et capables de l'aider dans ses devoirs. De plus, avec le temps, il est devenu plus calme. Comme on ne connaît pas le prof, on prend une chance et on laisse tomber la médication. Mais dès la deuxième semaine de classe, le téléphone sonne: déjà ça ne fonctionne plus et il y a convocation à l'école. Les problèmes de comportement sont de plus en plus importants. L'enseignante trouve qu'elle n'a ni le temps ni la compétence pour ce genre d'enfant qui dérange tout le temps et qui appartient, selon elle, à une plus petite classe d'inadaptés socio-affectifs. On décide alors de lui redonner du Ritalin, mais ça fonctionne plus ou moins bien. Le psychologue de l'école s'implique et met sur pied un programme de modification de comportement avec un cahier qui doit être signé à tous les jours. Les parents, eux, sont épuisés d'avoir à punir à la maison pour des choses faites à l'école. Les problèmes de Philippe sont de plus en plus envahissants, et on ne sait plus comment s'y prendre. On a vraiment besoin d'aide.

Nouvelle visite chez le médecin; ce dernier décide d'augmenter la dose de Ritalin et insiste pour que les parents voient son collègue. Avec le nouveau dosage, Philippe devient alors trop calme, un vrai «zombi» selon l'expression de la mère. On cesse alors le médicament. Trois semaines plus tard, le pédiatre spécialiste les reçoit. Celui-ci avait auparavant acheminé des questionnaires à être remplis par l'école et les parents. Les questionnaires touchaient à beaucoup d'aspects et on a essayé d'y répondre du mieux qu'on a pu.

Les observations de l'enseignante se lisent comme suit: «Aime à rendre service. Ne peut rester assis et se trouve toutes sortes d'excuses pour se lever. Circule continuellement dans la classe et sans motif. Brise ses mines de crayons pour pouvoir aller les tailler, attrape des insectes qui marchent sur les vitres, se promène à quatre pattes entre les pupitres, etc. Il voit tout ce qui se passe autour de lui, mais il n'écoute rien, de sorte qu'il ne sait pas ce qu'il a à faire et ne fait pas le travail demandé à moins que je ne sois proche de lui. Il parle fort à tout moment, est envahissant par rapport aux autres et prend trop de place.»

Après un examen complet de développement auquel les parents assistent, le pédiatre confirme que Philippe n'a pas de troubles spécifiques d'apprentissage. Il leur explique ce qu'est un enfant avec un déficit d'attention et une hyperactivité, leur laisse un vidéo et leur demande de revenir dans deux semaines. À la visite suivante, chacun discute de ce qui le préoccupe: la médication, la cause et la chronicité du problème, ainsi que l'évolution possible à long terme. Le pédiatre dit qu'il aimerait rencontrer les personnes impliquées à l'école. Philippe, lui, dit qu'il n'a pas le goût de reprendre la médication, ni d'aller dans la classe spéciale.

Ce soir-là, on fait un retour sur le passé. Dès le tout jeune âge, on se rend compte qu'on soupçonnait déjà que Philippe était spécial. Toutefois, ce n'est que lorsque celui-ci a été confronté avec d'autres enfants que le problème est devenu plus évident et de plus en plus apparent, avec tout ce que cela a représenté de hauts et de bas, qui dépendaient entre autres des approches utilisées par les personnes en place. On se rend compte maintenant que les difficultés de Philippe sont grandes et que le milieu scolaire n'est vraiment pas adapté pour lui. On comprend maintenant aussi qu'il s'agit d'un problème neurologique, et que comme pour un autre handicap, on devra s'adapter à la réalité pour en tirer le meilleur parti possible, tout en souhaitant que le pire ne soit pas encore à venir. Surtout, on espère qu'on aura la patience, l'énergie et la compréhension nécessaires pour accompagner un fils que l'on aime pourtant beaucoup. Et on se rappelle avec tendresse de René, le chauffeur d'autobus de la deuxième année, et de son approche si compréhensive et efficace.

Deux semaines plus tard, une rencontre a lieu à l'école, rencontre à laquelle assistent l'enseignante, le conseiller pédagogique, le directeur, le pédiatre et les parents. On y revoit l'évolution de Philippe depuis le début. Le pédiatre donne ensuite de l'information sur la nature biologique des difficultés. L'enseignante, elle, fait ressortir les aspects positifs de son élève: c'est un petit garçon qui n'est pas foncièrement agressif, ni défiant. Cependant, elle parle aussi de ses problèmes d'hyperactivité en classe et en groupe, ainsi que de ses difficultés à maintenir une attention de qualité dans tout ce qu'il entreprend. Tous et chacun parlent du Philippe qu'ils perçoivent et de ce qu'ils espèrent. Ils s'entendent pour prendre des décisions qui se compléteront et se renforceront mutuellement. On décide de recommencer le Ritalin, tout en prenant également des mesures à d'autres niveaux.

D'abord, après avoir réalisé que les réprimandes verbales étaient plus ou moins efficaces, on choisit d'offrir à Philippe un système qui va progressivement lui permettre une forme d'auto-contrôle. Ainsi, on met sur pied un système de jetons qui va pouvoir répondre à son besoin immédiat de motivation, et rendre ainsi les activités quotidiennes plus intéressantes et stimulantes.

Une affiche, comportant quelques règles de base, sera préparée pour permettre à Philippe et aux autres élèves de suivre les normes de comportement exigés en salle de classe. Sur l'affiche, qui sera placée en avant de la salle de classe, on pourra lire: «Dans notre classe, lorsqu'il y a un travail, on s'entend pour 1) écouter attentivement les directives, 2) se mettre immédiatement à la tâche, 3) ne pas déranger les autres lorsque son propre travail est terminé.» Cette affiche sera utilisée comme un rappel des normes pour toute la classe, bien sûr, mais plus spécialement pour Philippe lui-même. Suite à une entente entre lui et son enseignante, lorsque celle-ci se mettra directement la main gauche sur le poignet droit et regardera Philippe, il devra alors de son côté regarder l'affiche. Ce rappel sera utilisé plus particulièrement pour les périodes habituellement difficiles où il y a une transition entre les matières.

De plus, pour s'assurer de donner suffisamment de renforcements positifs à Philippe, il a été suggéré que l'enseignante mette dans sa poche le petit compteur que son mari utilise au golf. À tous les matins, en entrant en classe, elle le mettra à zéro, en se fixant comme objectif d'émettre dix renforcements positifs le matin et dix l'après-midi. À chaque clin d'oeil, petite phrase de support, geste positif de la tête de sa part à l'attention de Philippe, elle pèsera sur le bouton du compteur. Elle sera ainsi assurée qu'en chaque fin de demi-journée, elle aura fourni à son élève le support dont il a tant besoin.

Finalement, afin d'aider d'avantage Philippe avec son auto-contrôle, un petit carton sera préparé à tous les matins et placé sur son pupitre. Sur le carton sera inscrit: «Je fais présentement ce que je dois faire», avec une colonne pour le «oui» et une colonne pour le «non». Dix fois par jour, à l'occasion d'un comportement particulier, l'enseignante regardera Philippe en se touchant l'oreille. Il devra alors s'auto-évaluer et inscrire un crochet dans la colonne du oui ou du non, selon le cas. Au début, l'enseignante veillera à choisir volontairement des comportements qui seront positifs, compte tenu des problèmes qu'il présente. Si elle le trouve exceptionnellement à son affaire, elle pourra aussi passer tout près et lui donner une petite tape sur l'épaule, puis lui faire ensuite un crochet sur son carton dans la colonne du oui, tout en se donnant pour elle-même un point dans le fond de la poche. En fin de journée, on fait le décompte. Pour tous les crochets positifs, il recevra des jetons avec lesquels il pourra s'acheter des privilèges, soit à l'école, soit à la maison.

Tout en encourageant cette approche, le psychologue rencontrera Philippe une fois par semaine pour une courte période. Lors de jeux de rôle faits avec lui, il travaillera certains aspects reliés à des habiletés sociales avec ses pairs. Justement en regard des habiletés sociales, les parents informent qu'ils ont déjà inscrit Philippe aux activités de groupe organisées par une association pour des enfants en difficultés d'apprentissage. Il s'agit ici d'activités animées par des éducateurs, qui ont lieu le samedi matin et qui s'adressent à des enfants avec le même genre de difficultés. Philippe continuera également son karaté. Quant à eux, ils se sont inscrits, en soirée, à quinze sessions de groupes de parents avec enfants hyperactifs, sessions organisées conjointement par le CLSC et le service de psychiatrie communautaire. Pour suppléer au retard académique, le directeur décide d'ajouter de l'orthopédagogie au programme scolaire de Philippe.

Philippe, qui était à son cours d'éducation physique pendant toute cette discussion, se joint à la réunion. Il se dit conscient de ses difficultés et est prêt à faire un effort. Il mentionne qu'il agit souvent sans réfléchir et qu'il a l'impression que c'est plus fort que lui. Avec des explications adaptées à son niveau, on lui présente l'aide projetée. On lui dit aussi qu'il sera lui-même responsable de faire la liste de ce qui constituera ses privilèges négociables avec les jetons. On écoute Philippe avec attention afin de lire entre les lignes les messages d'espoirs et de réserves qui s'y glissent. On s'entend avec l'enseignante pour qu'elle informe la classe de façon à ne pas stigmatiser Philippe et à s'assurer du support des autres élèves.

Toutes ces mesures ont vraiment pour effet de l'encourager. Le programme de jetons fonctionne particulièrement bien, et l'année se termine pour lui sans trop de problèmes. À la sortie des classes, le dernier jour, Philippe regarde avec insistance son enseignante, il met sa main gauche sur son poignet droit, puis avec un grand sourire il lève les bras au-dessus de la tête en signe de victoire. Elle lui sourit, elle aussi, avec un grand sentiment de réussite. Il est vrai qu'il devra faire du rattrapage en mathématiques au cours de l'été afin d'être promu en quatrième année, mais en somme, il s'en est bien tiré.

Quant à la quatrième année, elle est vraiment plus difficile que les autres; dès janvier-février, on se rend compte qu'il devra probablement la reprendre. Et c'est le cas. En cinquième année, il passe toutes ses étapes toujours de justesse, mais le système de jetons continue à bien fonctionner, quoique sans cesse réadapté. De plus, comme la communication entre l'école et les parents continue d'être très bonne, et qu'une rencontre périodique d'ajustement a lieu régulièrement, tout le monde travaille dans la même direction pour maintenir le progrès. À un certain moment, les parents ont voulu acheter une autre maison, mais comme ils ne veulent pas changer de quartier et tout recommencer, ils décident d'abandonner leur projet pour que le primaire de Philippe se finisse à la même école. Ils savent trop bien à quel point la complicité avec l'école est précieuse pour Philippe et pour eux-mêmes. La sixième année se passe bien. Monique et Serge ont senti le besoin de refaire une autre session de groupe de parents, mais finalement, Philippe termine enfin son école primaire avec succès. Il est bien fier de lui, et tout le monde autour de lui partage ce sentiment de réussite.

Puis, c'est l'entrée au secondaire qu'on anticipe avec certaines craintes, à cause à la fois de ses résultats académiques et de ses difficultés d'adaptation. On reconnaît être passé «à travers» le primaire grâce à beaucoup de compréhension et à un encadrement soutenu, tout particulièrement à partir du deuxième cycle. On se rend compte que le fonctionnement du secondaire présente en lui-même des défis importants à cause justement de la diminution de suivi, du nombre restreint de professeurs attitrés et de la reconnaissance à l'étudiant de plus d'autonomie. Même s'il a repris sa quatrième année et qu'il est âgé d'un an de plus que les autres, Philippe demeure immature sous plusieurs aspects. Heureusement, cependant, il a développé systématiquement certaines habiletés sociales, et il s'est fait des amis qu'il continue toujours de fréquenter.

Le secondaire I et II se passent assez bien; il est vrai qu'on doit encore le suivre de près, mais l'agitation et l'hyperactivité se sont grandement atténuées. L'attention également s'est améliorée, Philippe travaille beaucoup mieux. Il a encore des difficultés du côté de la planification et on doit l'aider à prévoir d'avance ses échéances, mais il est vraiment capable d'un travail plus soutenu qu'avant. Toutefois l'impulsivité est encore très présente; il faut, au jour le jour, faire preuve de beaucoup de patience et de compréhension. Quant au Ritalin, comme il ne voulait plus en prendre, on a cessé.

Au secondaire III, c'est la pleine adolescence, avec tout ce que cela comporte d'exacerbations pour l'impulsivité et le besoin d'affirmation. Il se fout un peu de tout, confronte sans cesse les adultes autour de lui, et cela devient à la fois la guerre à la maison et la catastrophe à l'école. Les parents demandent une rencontre avec le professeur-titulaire en novembre. Ce dernier, ayant été absent pour quelques semaines, avoue qu'il connaît Philippe par les commentaires négatifs de son remplaçant, mais qu'il est prêt à l'aider. Quant à Philippe, il reste silencieux et ne s'implique à peu près pas dans la conversation, sauf pour corriger ce qu'il appelle les exagérations de certains commentaires de ses parents. Toutefois, on décide mutuellement de quelques objectifs précis qui seront supervisés par le titulaire. Encore une fois, on en arrive à la conclusion qu'il y aurait avantage à ce qu'une forme de support soit accessible à la fois à Philippe et à ses parents. On consulte le Centre psychologique régional, et des sessions tantôt conjointes, tantôt individuelles sont organisées pour la famille. Ainsi, progressivement la tempête se calme un peu, mais il n'en reste pas moins que l'année demeure très difficile. À un certain moment, on a même envisagé sérieusement la possibilité d'aller du côté de l'école privée. Mais comme cela voulait dire le pensionnat, Philippe s'y est opposé catégoriquement.

Au secondaire IV et V, le volet académique reste toujours instable et les parents doivent demeurer disponibles pour l'aider dans ses devoirs, plus particulièrement en français et en anglais. Dans ce contexte, Monique passe même parfois à la bibliothèque du quartier afin de ramasser des livres qui pourraient faciliter ses travaux. À la maison, on a organisé du tutorat en mathématiques et en physique avec un étudiant du collégial que le prof lui-même a recommandé. Philippe a aussi un emploi à temps partiel au dépanneur du coin, et cela s'est avéré un excellent exutoire à toute son énergie. Cela lui assure également une certaine liberté, et, comme c'est son tout premier emploi, cela renforce chez lui l'idée qu'il n'est plus un enfant et qu'il doit être à la fois responsable et autonome. De plus, il s'entend bien avec le gérant du dépanneur qui le trouve sympathique, mis à part quelques sorties impulsives occasionnelles. Finalement, avec le permis de conduire dans la balance, il réussit à terminer son secondaire et à obtenir son diplôme.

Au bal de graduation de juin, entouré de ses parents rayonnants et d'une première petite amie, il exhibe une bonne humeur contagieuse, une satisfaction évidente d'un succès qui n'a pas toujours été facile à conquérir, ainsi que le début d'une maturité qui donne définitivement de l'espoir pour l'avenir.

Pour Monique et Serge, c'est aussi la fin d'une étape, d'une longue route tour à tour semée d'embûches, de nouvelles résolutions et de découragements. Mais ils constatent maintenant combien leur ténacité a porté fruit, et ils se souviennent avec reconnaissance de tous ceux qui les ont aidés à arriver tous les trois à cette soirée qui fête leur réussite. Évidement, ils se doutent bien que tous les problèmes de Philippe ne sont pas résolus et qu'ils ne le seront peut-être jamais complètement. Mais ils sont encouragés à la pensée qu'ils ont réussi à lui fournir un bon départ dans la vie, une poussée ferme dans la bonne direction. Tard le lendemain matin, tous les trois assis autour de la table, Monique et Serge mentionnent à Philippe combien le bal a été important pour eux, combien ce fut extraordinaire. Et Philippe de leur répondre avec son sourire habituel si engageant: «Vous savez, l'après-bal était tout aussi super!»

CHAPITRE

UN SURVOL HISTORIQUE

C'est en 1902 que le déficit d'attention-hyperactivité commence à être mentionné dans la littérature médicale. On attribue à un pédiatre du King's College Hospital de Londres, le Dr Still, l'une des premières descriptions de l'entité. C'est en effet lors d'une série d'allocutions intitulées: «Conférences sur des conditions psychiques anormales chez l'enfant», qu'il présentera pour la première fois le cas de 20 de ces enfants, dont certains d'entre eux réunissent alors les caractéristiques qui s'apparentent à ce que l'on peut maintenant identifier comme des cas sévères de déficit d'attention-hyperactivité. Au dire du Dr Still, ces enfants étaient de tempérament violent, faisaient preuve de méchanceté gratuite, étaient destructeurs, et demeuraient tout à fait insensibles aux punitions. De plus, ils étaient souvent impatients, agités et incapables d'une attention soutenue, ce qui entraînait, en dépit de leurs capacités intellectuelles apparemment normales, d'inévitables échecs scolaires. Still se réfère à ce qu'il appelle alors un déficit du contrôle moral, qui se traduit chez ces enfants par un mépris total de l'autorité, ainsi que par la recherche d'une gratification immédiate, sans considération aucune pour l'entourage.

Le problème lui-même a toutefois sûrement plus que 90 ans, et les enfants vivant avec un déficit d'attention-hyperactivité ont probablement toujours été présents dans nos sociétés. De plus, par ses multiples manifestations, ainsi que par ses nombreuses conditions associées retrouvées particulièrement chez les cas sévères, cette entité a fait l'objet d'investigations et de recherches dans plusieurs disciplines. Refaire l'histoire de son évolution, serait aussi refaire une partie de l'histoire de la psychiatrie infantile, de la psychologie, de l'éducation, ainsi que de l'évolution des milieux scolaires, en ce qui concerne les enfants ayant des besoins spéciaux. Nous allons nous limiter ici à quelques grandes étapes de cet historique.

Des dommages cérébraux majeurs aux dommages cérébraux minimes

Dans les premières décennies du siècle, des cliniciens observaient dans les institutions et les réseaux de services de santé, que certains enfants vivant avec des handicaps sévères tels que l'épilepsie, la déficience mentale ou la paralysie cérébrale, présentaient également des problèmes de comportement et d'agitation. Chez bon nombre d'entre eux, une encéphalite (épidémie de 1917-18), une méningite, ou un traumatisme crânien étaient clairement associés à un dommage cérébral, ce qui expliquait en quelque sorte leur condition. Dans ces mêmes institutions, on remarquait en même temps que d'autres enfants présentaient pourtant à peu près les mêmes problèmes d'agitation et de comportement que les précédents, mais que chez eux, ils ne s'apparentaient toutefois à aucune forme d'insulte cérébrale clairement identifiable. Incapable d'établir de lien avec un dommage cérébral évident, on présumait cependant qu'il devait y en avoir un, mais qu'il était tout simplement moins facilement identifiable. C'est donc à cette époque que la conception de dommage cérébral minime faisait son apparition dans le raisonnement et l'explication de l'entité.

À la fin des années 40 et au début des années 50, des études ont démontré que la naissance d'enfants prématurés et les complications de grossesse étaient souvent responsables des décès entourant la période de l'accouchement (périnatalité). Pour ceux qui survivaient à ces complications de grossesse et d'accouchement prématuré, s'en suivaient des dommages cérébraux majeurs, et par le fait même, de graves problèmes neurologiques. À la même époque, des études faites chez des enfants d'âge scolaire présentant des problèmes d'agitation et de comportement, révélaient que ceux-ci avaient, trois fois plus que leurs confrères de classe, une historique de naissance prématurée et/ou de manque d'oxygène à l'accouchement. C'est à partir de cette observation, qu'on en a conclu que ces enfants étaient des cas de dommage cérébral minime, appellation qui leur est restée, selon les milieux, jusqu'au début des années 80.

Les années 60-70: L'hyperactivité

Certains cliniciens ont finalement trouvé tout à fait injustifié d'appeler «dommage cérébral minime» ce qui, à l'examen neurologique, n'en présentait aucune évidence. Les parents également étaient loin d'accepter ce verdict. Il faut bien se dire que pour un parent, il n'y pas de dommage au cerveau qui puisse être considéré comme minime. Un tel diagnostic est sérieux, et il doit être basé non pas sur de vagues présomptions, mais sur des évidences cliniques réelles. Ainsi, l'étiquette de dommage cérébral, même si on se référait à un dommage minime, plaçait alors leur enfant au même rang que ceux qui avaient des dommages vraiment plus visibles et plus sévères. À cette époque, on ne comprenait pas non plus la différence fondamentale entre un problème d'ordre neurologique et un dommage cérébral. On sait maintenant que le dommage se réfère habituellement à un accident, à une forme d'insulte au cerveau, alors que le problème neurologique se réfère davantage à un fonctionnement, indépendamment d'une cause déterminée.

Au niveau de la terminologie, on décidera donc graduellement de laisser tomber ce qu'on croyait être la cause, c'est-à-dire le dommage, pour se centrer sur un symptôme en particulier: celui de l'agitation. C'est ainsi que «d'enfant avec un dommage cérébral minime», on passera à l'appellation «d'enfant hyperactif» ou «d'enfant hyper-kinétique», selon la terminologie encore utilisée en Europe. Il est intéressant de noter qu'à cette période, il y avait plusieurs termes différents pour parler du déficit d'attention-hyperactivité et de ses caractéristiques; un auteur de l'époque en a même identifié une quarantaine! Ce ne sera qu'en 1968 que l'Association des psychiatres américains, dans un catalogue qui identifie les maladies et leurs caractéristiques, parlera de réaction hyperkinétique de l'enfant. Et c'est à partir de ce catalogue que la termi-nologie moderne trouvera l'appellation qu'on lui connaît.

Il faudra toutefois noter que, jusque vers 1960, le déficit d'attention-hyperactivité faisait davantage référence à des cas sévères. Ce ne sera que pendant la décennie suivante, avec toutes les transformations sociales au niveau de la famille, de l'école, et des loisirs, que la norme vis-à-vis des déviations comportementales changera progres-sivement, et que ce qui jusqu'ici pouvait être encore dans les limites de l'acceptable au niveau d'un comportement, ne le sera plus, ou alors beaucoup moins. C'est également à cette époque qu'on reconnaît l'existence de cas modérés et légers, avec toute leur variation de conditions associées. À cette même période, apparaît aussi la notion que ce syndrome peut s'améliorer avec le temps, et qu'il peut même se résorber tout à fait à l'adolescence. Cette notion sera réajustée pendant les années 80.

Les années 70-80:
La période des difficultés d'attention
Si les années 60 avaient mis la priorité sur l'hyperactivité, les années 70 se pencheront plus particulièrement sur les difficultés d'attention. C'est en 1972, dans une allocution à un congrès de psychologues, que Virginia Douglas, un

chercheur canadien de l'université McGill, affirme que les problèmes d'attention et d'impulsivité, beaucoup plus que l'hyperactivité, sont responsables des difficultés que l'on retrouve chez ce type d'enfants. De ce fait, elle apporte un éclairage nouveau au problème, puisqu'en réalité le manque d'attention est alors à l'origine de beaucoup plus de difficultés que les problèmes reliés à l'agitation.

Durant cette période, les recherches abondent, et dans un livre publié en 1981, un autre chercheur notera jusqu'à 2000 articles parus sur le sujet. Cette décennie verra également naître un bon nombre d'études qui démontreront que la médication, en l'occurrence le Ritalin, est de nature à aider l'enfant d'âge scolaire. Cette modalité de traitement deviendra d'ailleurs la plus étudiée en psychologie et en psychiatrie infantile. Cependant, on assistera rapidement à un excès de cette forme de traitement, et conséquemment, on en dénoncera ensuite l'utilisation excessive. On ira même alors jusqu'à nier l'existence du déficit d'attention-hyperactivité, en affirmant que cette entité n'est qu'un mythe créé par des parents et des enseignants intolérants, ainsi que par un système d'éducation inadéquat. Les années 70 furent aussi la période où l'on prétendit que l'hyperactivité était directement associée aux colorants et aux additifs alimentaires. Cette association qui fut avancée sans l'évidence de recherches nécessaires, a été bien reçue initialement, mais elle ne s'est pas confirmée par la suite. C'est également pendant ces années que l'on va voir apparaître, en milieu scolaire, des approches plus systématiques reliées directement au contrôle du comportement.

Les années 80-90: On délaisse l'attention au profit des difficultés de comportement

En 1980, l'appellation officielle passera de «Réaction hyperkinétique» à «Trouble déficitaire de l'attention»[1], lequel se subdivisera en deux formes: celle avec hyperactivité, et

---

1. En anglais : ADD pour Attention deficit disorder

une autre sans hyperactivité. Ce n'est que depuis 1988 qu'on a modifié cette appellation qui est devenue alors: «Hyperactivité avec déficit de l'attention»[2]. De plus, c'est également pendant les années 80 que l'on tentera de mieux définir les critères diagnostiques, c'est-à-dire les éléments nécessaires que l'on doit rencontrer chez l'enfant, afin de pouvoir poser un bon diagnostic. La description de critères mieux définis, permettra d'assurer aux chercheurs d'être certains qu'ils parlent effectivement tous du même type d'enfant, ce qui ne semble pas avoir toujours été le cas par le passé.

Les dernières années ont davantage insisté sur le fait que le problème n'était pas tellement au niveau de l'attention elle-même, mais plutôt au niveau du contrôle du comportement, et dans la difficulté de persister à l'accomplissement de certaines tâches. On semble aussi maintenant mieux comprendre ce qu'est le déficit d'attention-hyperactivité, et il est possible de mieux en cerner les conditions associées, comme les problèmes d'apprentissage, d'agressivité, ou de conduite. Du côté intervention professionnelle, on réalise maintenant combien il est important d'avoir une approche globale touchant non seulement l'enfant lui-même, mais également toute sa famille.

Pendant les dernières années, on a assisté à une campagne, dans les médias, en ce qui concerne l'abus de la médication, ses effets secondaires, à court comme à long terme. Cette publicité abusive du type: «la prise de Ritalin mène à la drogue et au suicide», n'aura servi qu'à culpabiliser de nombreux parents, tout en privant certains enfants d'un support qui leur aurait pourtant été utile. Nous y reviendrons en détail au chapitre sur la médication. Il est cependant nécessaire d'ajouter que le contenu de cette publicité n'aura jamais été qu'une suite d'allégations non prouvées, ainsi que des généralisations à partir de cas

2. En anglais : ADHD pour Attention deficit-hyperactivity disorder

isolés. Toutefois, sur le plan de l'opinion publique, cette publicité aura été efficace, puisqu'elle aura tout de même eu l'avantage de resserrer les critères de prescription.

Les années 80 nous fourniront la publication d'études à long terme, dont la plus importante a été celle du Dr Weiss, de l'Hôpital pour enfants de Montréal. Celle-ci a recueilli des données sur un suivi de 20 ans, et nous a surtout permis de mieux comprendre ce qui arrive lorsque ces enfants grandissent, leur passage par l'adolescence, puis leur arrivée à l'âge adulte.

En bref, ce rapide survol nous a donné l'occasion de faire ressortir quelques aspects du déficit d'attention-hyperactivité, tant au niveau de la terminologie qu'au niveau des recherches. Dans une certaine mesure, ceci nous permet maintenant de mieux en percevoir toute la complexité, et c'est cette complexité que nous allons maintenant tenter de clarifier.

CHAPITRE

EN QUOI CES ENFANTS SONT-ILS DIFFÉRENTS? LEURS CARACTÉRISTIQUES

Nous venons de regarder l'histoire du déficit d'attention-hyperactivité au cours des trente dernières années. Nous avons constaté que le concept qu'on s'en est fait a passablement évolué avec le temps et qu'il reste encore en évolution. Toutefois, à travers ces multiples changements dans le temps, trois caractéristiques constantes ressortent néanmoins: les difficultés d'attention, l'hyperactivité et l'impulsivité. Nous allons maintenant nous pencher sur ces caractéristiques, sur ce qu'elles sont véritablement et comment on peut les reconnaître. Nous verrons ensuite comment les manifestations de cette triade sont loin d'être fixes, mais qu'au contraire elles varient selon l'âge de l'enfant, les circonstances observées, les tâches à accomplir, les personnes en présence, etc. Nous verrons également que les enfants dits hyperactifs n'ont pas nécessairement trois genres de problèmes séparés, mais que les difficultés d'attention, d'hyperactivité et d'impulsivité sont plutôt les symptômes d'un même problème de base. Le déficit est tantôt relié au contrôle du comportement guidé par les règles et leurs conséquences, tantôt aux mécanismes mentaux nécessaires à l'exécution de tâches bien précises. Nous constaterons que ces enfants sont différents par leur manière particulière de répondre aux multiples demandes et sollicitations de leur environnement.

L'attention

La première caractéristique que l'on observe chez ces enfants est leur grande difficulté à maintenir une attention de qualité. Ne dit-on pas en effet de cet enfant ou de cet autre qu'il a un problème d'attention, qu'il est facilement distrait, qu'il ne termine pas ce qu'il commence, qu'il n'écoute pas ce qu'on lui dit, comme s'il n'entendait pas ou n'enregistrait pas les messages qu'on lui envoyait? De plus, il oublie souvent ses choses partout, quand il ne les perd pas tout simplement; il se lasse rapidement d'un jouet ou d'un jeu; et si l'on veut qu'une tâche s'accomplisse, on doit le lui répéter plusieurs fois, le diriger, lui répéter à nouveau... Pourtant, au fond, on sait bien qu'il est capable de faire ce qu'on lui demande. Que se passe-t-il donc?

Les difficultés d'attention se manifestent de façons si variées, qu'il est souvent difficile de cerner exactement ce qui fait problème. Et c'est lorsqu'on se demande où cette attention est fautive, qu'on se rend compte qu'il existe plus d'une réponse. Il semble que tantôt l'attention n'est pas là pour permettre d'élaborer une stratégie en regard d'une tâche à accomplir; par exemple, comment s'y prendre pour fabriquer un collage: tout à coup l'enfant décroche et se met à faire autre chose, comme dessiner avec la colle. Tantôt elle n'est pas là pour soutenir une activité qui s'en vient: c'est le cas de l'enfant qui doit ramasser ce dont il a besoin pour une courte visite chez un cousin à la campagne. Tantôt elle est bonne, mais pour un certain temps seulement: par exemple, les quatre premiers des dix problèmes de mathématiques sont bien faits, mais à partir du cinquième, l'enfant n'est plus capable d'attention et se met à faire autre chose. Parfois elle est excellente, soutenue et ce pour assez longtemps: ceci est le cas de l'enfant qui joue au Nintendo pendant des heures. Dans cette dernière situation, on s'adresse sans doute à différents aspects des fonctions mentales reliées à l'attention.

54

Quand on parle d'attention, on réfère donc à différentes situations et tâches, qui n'exigent pas toutes le même type d'attention. Ramasser ce dont on a besoin pour une fin de semaine chez un cousin demande de la planification, une anticipation des activités à venir. Ce qui n'est pas le cas devant le Nintendo. Dans d'autres situations, on parle de distraction comme si l'attention était adéquate sur le moment, mais qu'elle restait en même temps vulnérable et fragile et qu'un rien pouvait détourner l'enfant de la tâche à accomplir. Parfois, on parle d'une difficulté de concentration ou d'une incapacité à se centrer sur une tâche, parce que l'on est préoccupé ou que l'on pense à autre chose. Mais qu'est, au juste, l'attention?

Avant tout, on peut la comprendre comme étant une capacité à se concentrer sur une tâche à accomplir. Pour y arriver, il faut faire le vide autour de soi, faire silence, à la limite se boucher les oreilles de ses deux mains, ne pas bouger, parfois même se fermer les yeux pour ne pas être dérangé par toute autre stimulation qui pourrait nous distraire de la tâche à accomplir. C'est en se basant précisément sur cette notion que certains milieux scolaires ont tenté d'aider les enfants ayant un déficit d'attention, en créant des unités de classe où les occasions de distractions étaient réduites au minimum. Il s'agissait de petites cabines grises, insonorisées et sans aucune décoration. Toutefois après un certain temps d'essai, cette approche s'est avérée très peu efficace. Au contraire, la situation s'est empirée, sauf lorsqu'on y a inclus de courtes pauses de quinze minutes, et que le travail a été supervisé de très près. On a vite compris que l'aspect ennuyant d'un milieu sans aucune stimulation ne semblait aucunement régler les problèmes reliés à l'attention. On remarque que l'observation d'enfants qui ont un déficit d'attention irait même dans le sens contraire. Il semble en effet que plus certaines activités sont riches en stimuli de toutes sortes (visuels, sonores, tactiles), plus l'attention se rapproche de la normale. C'est le cas par exemple des jeux vidéo; c'est aussi parfois le cas des dessins animés à la télévision qui peuvent captiver l'attention d'un enfant d'âge pré-scolaire toute la durée de l'émission. Certains ont d'ailleurs déjà constaté que chez ces enfants, les devoirs se font avec plus de succès sur le coin de la table, malgré toutes les distractions de la préparation du souper, plutôt que dans le silence de la chambre, sans aucune supervision. Les adolescents qui font leurs travaux scolaires le baladeur dans les oreilles, branchés sur «musique plus», ne nous disent-ils pas eux-mêmes que, comme le travail est «plate», ils le rendent plus intéressant en ajoutant de la musique? Et en somme, la pire des distractions n'est-elle pas, justement, une activité que l'on ne trouve pas intéressante et sur laquelle on doit en plus arriver à se concentrer?

Selon les circonstances, on peut même affirmer que l'enfant avec un déficit d'attention est relativement résistant à la distraction. Pourquoi, par exemple, est-il si peu distrait par la demande de sa mère lorsqu'il est occupé à faire autre chose qui l'intéresse? Comment expliquer qu'il est si facilement distrait en classe par un bruit inusité entendu dans la cour lors d'un travail individuel en mathématiques, alors qu'il ne l'est pas du tout à la maison par un klaxon d'automobile à l'entrée du garage pendant une émission de télévision qui le captive?

On peut retenir que les difficultés d'attention sont bien présentes et que la qualité de cette attention et de son maintien sont en quelque sorte proportionnels à l'intérêt relié aux tâches. En effet, plus la tâche est ennuyante, plus on s'en laisse distraire facilement; en revanche, plus la tâche est intéressante, meilleure et plus soutenue devient l'attention. Mais en somme, ceci n'est-il pas vrai pour tout le monde? Il semble évident que oui. Cependant, chez les enfants dont nous parlons, ceci est encore beaucoup plus vrai ou beaucoup plus marqué que pour les autres enfants.

On doit comprendre que pour eux, le déficit n'est pas tant au niveau de l'attention elle-même, qu'au niveau de la motivation qui la soutient. Et c'est dans cette perspective qu'il est intéressant de noter que les tests d'attention sont ceux qui nous aident le moins à poser un diagnostic clair de déficit d'attention-hyperactivité.

Par contre, il va de soi que tout ne doit pas être ramené uniquement à la question de la motivation, et l'on doit reconnaître que sous des apparences de problèmes dits d'attention, on retrouve chez l'enfant des difficultés reliées aux capacités de planifier, d'organiser et de développer des stratégies en fonction de tâches à exécuter. Ceci correspond alors à des problèmes rattachés à des fonctions mentales plus complexes, où l'attention représente seulement une des composantes.

L'hyperactivité

Des trois caractéristiques, l'hyperactivité est sans doute celle qui est la plus facilement identifiée. En effet, qui n'a pas un neveu, un voisin, le fils d'un collègue qu'on considère hyperactif? Dans n'importe quel milieu, la présence d'un enfant hyperactif est visible; elle distrait, elle dérange, elle énerve. L'enfant court et grimpe partout, il bouge sans cesse, il semble habité par une poussée intérieure qui le garde toujours en mouvement. À l'école, il ne peut rester assis; à la maison, il crée l'effet d'une tornade. Il bouge partout: à table, en auto, en regardant la télévision. Il ne peut se déplacer sans sauter sur place et finit par épuiser tout le monde! Et comme si le jour ne suffisait pas, le sommeil aussi est agité. On le retrouve le matin à demi déshabillé, la tête complètement à l'autre bout du lit, les couvertures par terre.

L'agitation est l'aspect du comportement qui se manifeste le plus tôt dans le développement de l'enfant avec un déficit d'attention-hyperactivité. Elle est souvent le premier indicateur qu'il est différent des autres. Après une progression continue jusque vers sept ou huit ans, on assiste ensuite à une diminution de l'agitation pour atteindre une situation un peu plus tolérable à l'adolescence. Mais il n'en reste pas moins qu'en grandissant, notre enfant aura épuisé une armée d'adultes (parents, professeurs, amis, voisins, compagnons) dont la tolérance demeure fort différente.

Comme symptôme clinique, l'hyperactivité a été bien documentée, entre autres au moyen de mesures d'agitation placées au niveau du poignet, de la cheville, ou avec des coussins électroniques sur les chaises de salles de classe. Après bien des études qui cherchent à comprendre pourquoi les enfants avec un déficit d'attention et une hyperactivité bougent autant, on constate que l'agitation apparaît comme étant un support nécessaire à l'attention. C'est l'exemple de l'enfant qui bouge sans cesse en regardant un film qu'il trouve captivant. Demandez-lui de cesser de bouger, et il décroche du film. Le succès des jeux vidéo viendrait d'ailleurs en partie du fait qu'il existe, dans ces jeux, une composante motrice qui permet à ces enfants de se concentrer. En classe, on a également observé des enfants qui, pour en arriver à terminer un travail, vont devoir se lever et sautiller sur place tout en continuant d'écrire! Ici aussi, leur demander de s'asseoir, c'est provoquer la fin de leur capacité de concentration et de persistance dans le travail.

J'ai en mémoire un garçon de neuf ans que j'évaluais un jour pour un problème de déficit d'attention-hyperactivité et à qui je faisais passer des épreuves de développement pour m'assurer qu'il n'avait pas d'autres troubles associés d'apprentissage. Nous avions commencé par des épreuves où il devait copier des formes, reconnaître des figures semblables, toucher à une série d'objets en reproduisant la même séquence que moi. Nous terminions par des épreuves linguistiques où il n'avait qu'à écouter et à répondre. J'observe tout à coup qu'il a l'air moins intéressé. Gardant les pieds bien ancrés derrières les pattes de sa chaise, tout en restant lui-même bien assis sur son siège, il commence alors un mouvement de balancement dont l'amplitude est de plus en plus grande, de sorte qu'il disparaît presque complètement de mon champ de vision. Son crayon s'agite entre ses doigts, ce qui, selon un rythme régulier, annonce la remontée sur la chaise. Finalement, je constate qu'il ne remonte plus, qu'il est complètement arqué sur le côté, la tête renversée, et qu'il est en train de vérifier la sonorité de la base de mon bureau avec son crayon! Pourtant, il continue à répondre de façon très exacte et précise à mes questions. « Antoine, le tigre que le lion a mordu a sauté par dessus la girafe. Qui a sauté par dessus la girafe?» Et lui de me répondre: «Le tigre». J'ai alors compris que l'agitation, ou plutôt l'activité motrice parallèle, ne nuisait en rien à la performance demandée mais, au contraire, pouvait lui être bénéfique et même nécessaire pour arriver à persévérer dans la tâche.

On peut donc conclure que l'agitation représente quelquefois une forme de stimulation qui permet de mieux répondre aux besoins difficiles de l'attention. Elle peut également apparaître comme étant l'expression d'une réponse motrice exagérée en fonction des demandes de l'environnement. Certains auteurs parlent alors d'un manque d'inhibition motrice, comme si l'enfant avait de la difficulté à régulariser son niveau d'activité en relation avec une tâche demandée. En terminant, mentionnons que la caractéristique «hyperactivité» est beaucoup plus significative que la composante «déficit d'attention» pour nous aider à poser un diagnostic. Elle se rapprocherait d'ailleurs davantage de la composante «impulsivité» que nous allons maintenant aborder.

L'impulsivité

On a compris que les difficultés d'attention sont variables et pas nécessairement toujours problématiques malgré leurs apparences. On s'est également consolé lorsqu'on a constaté que l'hyperactivité s'atténuait sensiblement avec le développement de l'enfant. Mais il en va autrement de l'impulsivité qui, bien que mieux contrôlée avec les années, demeurera présente pour la vie à des degrés divers. Nous présenterons maintenant les caractéristiques de cette troisième manifestation et nous tenterons d'expliquer en quoi des aspects cliniques à première vue assez disparates peuvent être néanmoins étroitement reliés.

Lorsqu'ils parlent de leur enfant ayant un déficit d'attention-hyperactivité, les parents mentionnent que l'enfant agit souvent avant de penser, qu'il passe sans discrimination d'une activité à une autre et qu'il a de la difficulté à s'organiser. En tout temps, il a besoin de beaucoup de supervision et d'encadrement; dans les jeux ou les activités de groupe, il a de la difficulté à attendre son tour. En classe, il dérange fréquemment de façon intempestive, et lorsqu'une récompense lui est promise, il la veut tout de suite et peut devenir très harcelant si on lui demande d'attendre. D'ailleurs, il préfère toujours une petite récompense plus immédiate associée à une petite tâche, plutôt qu'une récompense plus substantielle associée à un travail plus prolongé.

Ce que nous constatons, c'est que l'impulsivité est omniprésente et qu'elle touche vraiment à toutes les sphères d'activités:

–*Impulsivité verbale* : cet enfant dira tout ce qui lui passe par la tête, à table, en visite, en classe, avec ses amis; il peut interrompre la conversation de façon systématique pour lancer ses remarques.

–*Impulsivité motrice* : le geste est brusque, rapide, casse-cou; c'est le pot de lait renversé, la course sur la galerie qui vient d'être repeinte, l'élan sans regarder dans la rue afin d'aller chercher son ballon. Quand on lui fait passer des tests, il a déjà commencé à répondre avant même d'avoir reçu toutes les directives.

–*Impulsivité sociale* : Parce qu'il agit souvent avant de penser, qu'il bouscule les conventions sociales, qu'il donne l'impression d'envahir le territoire intime de l'autre, cet enfant a énormément de difficulté à être accepté des autres, surtout de ses pairs; il arrive difficilement à gérer de façon appropriée ses relations sociales.

En effet, la relation avec les pairs est une difficulté que les parents remarquent très tôt chez leur enfant; elle est en quelque sorte le baromètre de l'intégration sociale. Les difficultés éprouvées à ce niveau par l'enfant peuvent être vécues comme une forme de rejet, l'isoler davantage, accentuer chez lui le sentiment de différence et entraîner une faible estime de soi.

Pour l'enfant qui présente une forme sévère de déficit d'attention-hyperactivité, on note très souvent à l'âge préscolaire la présence d'agressivité dans les activités. Dans les jeux, son comportement est nerveux, imprévu, brusque, souvent destructeur. Son humeur est changeante et il fait preuve d'une grande immaturité émotionnelle. Il a tendance à dominer et à prendre toute la place. Lorsqu'il est rejeté par le groupe suite à son hostilité, il se retrouve alors seul, exclu, en marge. Sur le plan social, la qualité de ses relations est indiscutablement pauvre.

À l'élémentaire, il a parfois un comportement dérangeant en salle de classe, souvent teinté d'agressions verbales et parfois même physiques. Il a, plus que ses pairs, tendance à argumenter, à faire du bruit, à interrompre fréquemment. On ne parle pas ici de la blague occasionnelle qui détend tout le monde, mais bien d'intrusions non appropriées dans le déroulement d'une activité scolaire.

Il ne fait aucun doute qu'un tel enfant a de la difficulté dans sa manière d'entrer en communication avec ses pairs; c'est un peu comme si son radar social ne percevait pas toujours ce que vit le groupe. Les règles implicites que l'ensemble de ses pairs comprennent et acceptent comme «allant de soi», il ne les perçoit tout simplement pas. C'est le genre d'enfant à entrer dans un groupe en pleine activité en disant: «Moi, je sais comment on joue à ça» et de bousculer les autres dans leur jeu.

En regard de l'habileté d'un tel enfant à la communication verbale, on a noté qu'il initiait la conversation plus souvent que ses pairs, et que ses pairs lui répondaient aussi plus souvent qu'aux autres enfants. Par contre, les amis sont beaucoup plus ignorés lorsqu'ils lui adressent la parole. Il apparaît en effet que, bien qu'il verbalise plus que les autres, il demeure pourtant moins à l'écoute, et conséquemment moins réciproque dans ses relations de communication. On constate ainsi que les difficultés dans la relation avec les pairs demeurent, pour plusieurs enfants, une problématique particulière et persistante.

On comprend donc facilement que l'impulsivité demeure une caractéristique difficile de l'enfant à partir de laquelle les parents se sentent souvent jugés. L'impulsivité se réfère au comportement , donc à «l'éducation», et dans le cas qui nous préoccupe l'enfant impulsif est jugé «mal élevé». Un tel enfant est vite classé comme immature, irresponsable, bébé, voire paresseux. Il devient davantage l'objet des punitions, des critiques et du rejet de la part des adultes et de ses pairs. Et en conséquence le voilà facilement sur une voie qui mène à plus d'agressivité ainsi qu'à des problèmes de conduite et à de l'inadaptation.

L'impulsivité peut donc se présenter sous différentes facettes; au fond, il y a des éléments communs entre le fait de ne pas être capable d'attendre son tour, le fait d'agir sans penser aux conséquences, ou encore de lancer en pleine classe une boutade qui est bien mal placée. Tout cela, c'est de l'impulsivité. Cependant, la littérature nord-américaine anglophone parle de plus en plus, pour ce type de difficulté, d'un manque d'inhibition du comportement. L'enfant a tout simplement de la difficulté à ajuster et à contrôler son comportement en réponse à ce qui se passe autour de lui. Quand un enfant fait une crise parce que la récompense promise de louer un film ne peut se faire toute suite, il est incapable de contrôler son comportement. On pourrait dire qu'il est normal d'être déçu, mais ce qui est anormal, c'est la réaction conséquente qui est démesurée. Tout se passe comme si le thermostat des réponses était mal ajusté, et que sa réaction était toujours trop forte et trop rapide. On relierait cette incapacité à une faiblesse dans les mécanismes mentaux reconnus comme permettant d'exécuter des tâches. Lorsqu'on a de la difficulté à planifier, à développer des stratégies, on a également de la difficulté à être auto-critique et à anticiper les conséquences de ses actes et de ses paroles. Il faut ajouter qu'il s'agit d'une difficulté de base importante, car il semble malheureusement que d'une fois à l'autre, l'enfant apprenne très peu. Lors du diagnostic, bien regarder l'impulsivité est sûrement l'un des facteurs les plus éclairants.

La variation des symptômes

Après s'être penché sur les trois grandes caractéristiques du déficit d'attention-hyperactivité, nous verrons maintenant comment leurs manifestations peuvent varier selon certains facteurs bien précis.

À première vue, on serait porté à croire qu'il est normal que le comportement des enfants varie beaucoup selon les circonstances. Mais en réalité, il n'en est rien. Il est en effet très étonnant de voir combien la performance de la plupart des enfants reste constante. C'est tellement vrai qu'à la moindre variation quelque peu significative, on demandera tout de suite: «Mais Jean-Pierre est-il malade?» «Y a-t-il quelque chose qui ne va pas chez Nadia?» Au contraire, chez un enfant avec un déficit d'attention, ce phénomène est si fréquent qu'il devient source de conflits. En effet, cette grande variabilité voudra par exemple dire que tout à coup, un soir, de façon exceptionnelle et sans trop savoir pourquoi, Yves a réussi à bien faire ses devoirs, comme on aimerait qu'il les fasse toujours. On lui dit alors: «Ça y est, tu l'as fait, tu es maintenant capable». Justement non, pas nécessairement. Car il faut saisir que la variabilité fait partie intégrante du tableau, et ce serait mal comprendre l'enfant que de croire que, parce qu'il a eu une bonne performance à l'école une certaine journée ou à la maison un autre soir, il en est pour autant toujours capable. Il faut accepter que s'il ne répète pas le même comportement, ce n'est pas qu'il est entêté ou qu'il le fait exprès, c'est que la variabilité de comportement est une caractéristique inhérente de ce qu'il est.

Cependant, si cette variabilité existe sans que nous puissions trop en identifier la raison, il existe pourtant des contextes où, de façon générale, on a noté des similitudes de variations. Le tableau ci-dessous illustre les facteurs reconnus comme associés à des performances variables. La colonne de gauche représente les situations où le comportement s'améliore, alors que celle de droite représente des contextes où l'on retrouve de plus grandes difficultés.

Moins de difficultés	Plus de difficultés
Contexte de un à un	Situation de groupe
Présence du père	Présence de la mère
Renforcement fréquent	Renforcement peu fréquent
Tâche dont la conséquence est immédiate	Tâche dont la conséquence est lointaine
Conséquence évidente	Conséquence non évidente
Situation nouvelle	Situation familière ou de routine
Début de la journée	Fin de la journée
Activités supervisées	Activités non supervisées

On remarque que l'enfant fonctionne généralement mieux et produit davantage dans un contexte de un à un. On pourrait d'ailleurs dire que cela est vrai pour tous les enfants. Ce qui est plus marqué pour l'enfant dont on parle, c'est qu'en situation de groupe, cela est nettement plus problématique pour lui que pour la plupart des enfants.

On note aussi que bien souvent, ça va mieux en présence du père qu'en présence de la mère. On trouvera plus de précisions à ce sujet au chapitre sur la famille. Mentionnons seulement pour l'instant que le père et la mère ne sont pas associés aux mêmes fonctions. Le quotidien (plus ennuyant) est encore davantage du ressort de la mère, alors que les temps libres et les activités de loisirs appartiennent au père. Cela suffirait déjà pour expliquer la différence.

Il est important de redire que les renforcements sont très importants. Plus ils sont fréquents, plus ils sont immédiats, plus ils sont concrets, (le sac de croustilles a

65

chez certains plus de pouvoir d'encouragement que les skis à Noël), meilleur est le rendement. Pour plus de détails voir le chapitre 9 sur les approches.

Par situation nouvelle, on réfère ici à une nouveauté introduite dans un contexte familier. Par exemple, le jour de la Saint-Valentin, l'enseignante intègre une révision de la semaine en mathématiques avec un jeu de coeurs. La situation nouvelle est le jeu de coeurs pour la Saint-Valentin, et le contexte familier est le programme de mathématiques. Par ailleurs, lorsqu'on parle du mariage d'une cousine, cela est certes une situation nouvelle, mais comme le contexte n'est pas familier, cela fait toute la différence et devient source de difficulté.

Le facteur fatigue peut, à lui seul, expliquer les variations observables au cours de la journée. De plus, on observe que les activités supervisées sont plus faciles que les activités non supervisées.

Reconnaître et comprendre la notion de variabilité nous apparaît donc un processus bien important à plusieurs égards. Tout d'abord, cela permet de comprendre son enfant et de ne pas lui jeter tout le blâme lorsque ses rendements sont inégaux; d'autre part, il ne faut pas se blâmer soi-même non plus si, dans des circonstances différentes, d'autres personnes ont plus de facilité que nous.

Les déficits sous-jacents

Le problème du déficit d'attention-hyperactivité a davantage été perçu comme étant une association d'inattention, d'hyperactivité et d'impulsivité; mais le lien entre ces trois caractéristiques n'a pas toujours été évident. Ce n'est qu'au cours des sept ou huit dernières années que les sciences neurologiques et psychologiques ont apporté des explications qui ont permis de comprendre le lien qui existe entre ces trois caractéristiques. Elles ont surtout fait ressortir que, derrière ces trois symptômes, on retrouve un déficit en ce qui concerne le contrôle du comportement découlant des règles et de leurs conséquences; on a aussi identifié un déficit relié à certains mécanismes mentaux impliqués dans l'exécution des tâches. Il est important de saisir que nous ne parlons pas ici d'une quatrième et d'une cinquième caractéristique, mais plutôt de deux mécanismes mentaux distincts qui expliqueraient les trois autres caractéristiques de base.

Le contrôle du comportement: par rapport aux règles et aux conséquences

Dès le début et tout au long de leur développement, les jeunes enfants apprennent en fonction de leur âge certaines règles et normes de comportement en regard de ce qui peut être fait et de ce qui ne le peut pas. Ils apprennent ainsi ce qui est permis et ce qui ne l'est pas, ainsi que les limites et les marges de manoeuvre de ces différentes règles de conduite. Ils comprennent que ceci passe bien avec maman, mais ceci ne passe pas du tout avec papa, alors que ceci ne passe ni avec papa, ni avec maman, ni même avec la gardienne. L'enfant apprend toute une suite de comportements: qu'il est bien de faire bye bye, qu'il ne faut pas toucher au système de son, qu'il ne faut pas monter sur le comptoir de la cuisine, qu'il faut rester attaché en auto et qu'il faut prêter ses jouets si l'on veut que les autres jouent avec nous.

Progressivement, l'enfant comprend que les règles de la maison sont aussi les règles des autres maisons, et qu'il ne faut pas là non plus, comme lorsqu'on était petit, toucher au système de son ni monter sur le comptoir. Aux règles des maisons s'ajoutent celles de la garderie. Quand c'est le temps de faire une activité, on ne peut pas faire autre chose, qu'il faut parfois attendre son tour, qu'on doit partager avec les amis. Et puis, il y a aussi les règles de la maternelle, celles de l'autobus scolaire, celles de la piscine du centre sportif et celles de l'école. À l'école, il y a également toute une série de règles pour apprendre. Il faut parfois écouter ou faire silence, il faut souvent rester assis, etc. Ainsi, au fil des années, les enfants apprennent et développent des comportements qui sont en harmonie avec les règles des différents milieux où ils vivent.

Dans notre façon d'agir et de nous comporter, ces règles ont un poids énorme. On peut bien trouver l'école ennuyante et ne pas avoir le goût de faire ses devoirs, il n'en reste pas moins que pour la majorité des enfants, l'idée qu'il faille aller à l'école, avoir un bon bulletin, monter de classe, faire ainsi plaisir à ses parents et à son professeur, sont des idées suffisamment motivantes pour déclencher un comportement qui fera que les devoirs seront bien faits. Même si dans l'immédiat c'est peut-être ennuyant et qu'on n'en a pas le goût, en bout de ligne, la conséquence anticipée de la réussite est suffisamment motivante pour que l'on arrive à faire, et à bien faire son travail.

Que se passe-t-il donc quand Éric, âgé de six ans, entre dans mon bureau avec sa mère pour une évaluation et que, pendant que je discute brièvement avec elle, il se met à jouer avec mon appareil pour examiner les oreilles, puis se déplace quelques minutes plus tard vers mon ordinateur et se met à taper sur le clavier de plus en plus rapidement, s'empare ensuite brusquement de mon dictaphone, puis va enfin sauter sur la balance pour faire bouger l'aiguille? Probablement que tout enfant de cet âge, dans le contexte d'une telle visite, a le goût de faire ce que fait Éric. Toutefois, les règles normalement apprises à cet âge lui envoient un message clair: «Ce ne sont pas des jouets, mais des objets auxquels il faut faire attention». Ces seules règles suffisent pour contrôler le comportement, et faire que l'enfant pourra demeurer tranquillement assis encore quelques minutes. Cependant, pour Éric, qui a pourtant été exposé aux mêmes règles et aux mêmes expériences d'apprentissage que les autres enfants, ces règles ne suffisent pas. On sait très bien qu'il n'a pas fait cette exploration envahissante de mon bureau pour faire fâcher sa mère, ni pour attirer son attention ou la mienne, ni par anxiété, ni surtout parce que ses parents lui laissent faire tout ce qu'il veut. Il a tout simplement le goût de se rendre le moment présent agréable, et la règle sociale qui devrait être suffisamment forte pour qu'il puisse demeurer assis quelques minutes, n'a aucune influence sur lui. La récompense promise d'un cornet de crème glacé au retour s'il était bien sage, est trop loin ou trop faible pour le motiver sur le moment présent. Quand il passe rapidement de l'appareil pour examiner les oreilles, à l'ordinateur, au dictaphone et à la balance, c'est parce que l'aspect agréable de la découverte et de l'exploration est vite épuisé, un peu comme lorsqu'il était plus jeune et qu'il allait d'un jouet à un autre, non pas parce qu'il était distrait, mais simplement parce que le jouet suivant lui apparaissait plus intéressant. Sa sensibilité aux conséquences (positives ou négatives) de son comportement est différente de celle des autres enfants. Nous reviendrons sur cet aspect particulier au chapitre sur les moyens d'aide, en discutant précisément de la gestion des récompenses.

Les mécanismes mentaux: l'exécution des tâches

Nadine est une fillette de 10 ans qui présente un déficit d'attention et une hyperactivité. Sa mère me parle un jour de ses difficultés à lui faire exécuter certaines tâches, comme le ménage de sa chambre le samedi matin. Nadine essaie bien, mais au bout de quelques minutes, elle se retrouve assise par terre à jouer avec ce qui traîne. Sa mère ne comprend pas, elle me dit que ce sont des tâches que sa fille est pourtant bien capable de faire. On en vient à discuter des difficultés de planification de son travail, ainsi que du développement de stratégies, car on sait que ces enfants ont besoin d'aide afin d'être persistants dans les tâches qu'ils entreprennent. On décide donc d'élaborer ensemble une approche qui consiste à montrer à Nadine comment s'y prendre. Madame commencera par faire le ménage avec elle deux samedis successifs; puis elle inscrira sur un carton les grandes étapes du travail: 1. Sortir de la chambre et mettre dans le passage tout ce qui ne va pas dans la chambre; 2. Mettre près de la porte ce qui va au lavage; 3. Ranger ce qui va dans les tiroirs; 4. Remettre à leur place ce qui va sur les tablettes; 5. Faire le lit. 6. Retourner à leur place respective les choses que l'on a mises dans le corridor.

Un mois plus tard, Nadine n'avait à peu près plus de difficultés à réussir sa tâche et était bien contente d'elle. Elle avait eu besoin d'un cadre précis et réaliste en regard de ses capacités afin de la guider. Lors d'une discussion ultérieure, sa mère me disait combien elle avait été surprise que ça fonctionne. J'ai pu lui expliquer la situation en lui disant qu'il s'agissait pour Nadine d'une tâche qui lui était facile à faire au point de départ, mais qu'elle n'y parvenait pas tout simplement parce qu'elle ne trouvait pas ça intéressant, qu'elle se sentait dépassée et qu'elle ne savait pas comment s'y prendre. La tâche de faire le ménage (du moins celui exigé par la mère) faisait appel à une planification, à l'élaboration d'une stratégie étape par étape, à une capacité de persistance dans la tâche, ce qui n'était pas facile pour elle en raison de son problème d'attention. Elle avait donc eu besoin d'un cadre et d'un entraînement pour savoir «comment s'y prendre». C'est le même problème que rencontre Stéphane qui ne peut s'intégrer à l'équipe de hockey parce que le jeu sur glace fait trop appel à l'élaboration spontanée de différentes stratégies d'équipe.

Cette difficulté de planification est au fond intimement liée à l'aspect de contrôle du comportement, et permet également de comprendre certains aspects d'allure impulsive et de difficulté d'intégration sociale.

Quand un enfant a de la difficulté avec l'organisation de sa pensée en ce qui touche l'analyse, la planification, l'anticipation, il n'est certes pas surprenant qu'il ait de la difficulté à anticiper la conséquence de ses actes et de ses paroles, et à se comporter en conséquence.

Nous nous demandions, au début de ce chapitre, en quoi les enfants avec un déficit d'attention-hyperactivité étaient différents. Ce tour d'horizon sur les caractéristiques cliniques a permis d'y répondre partiellement. Il s'agit d'un problème qui se manifeste tôt au cours de la petite enfance et dont les manifestations évoluent avec le développement. Les difficultés sont chroniques et varient en intensité selon les circonstances. Elles vont toutefois s'améliorer chez la grande majorité, à moins que des conditions associées défavorables ne viennent s'y ajouter; le chapitre 5 développera cet aspect.

L'inattention, l'hyperactivité et l'impulsivité sont chez l'enfant l'expression de sa difficulté à ajuster son comportement aux demandes et aux sollicitations de son environnement. La principale raison de cette difficulté est que chez lui, les règles et les conséquences de ses actions n'ont pas la même valeur de satisfaction, ni la même force de récompense que pour les autres enfants; il rencontre également des difficultés avec les fonctions d'exécution d'une tâche, telles que la planification, l'organisation et le développement de stratégies.

Si ces enfants sont différents des autres enfants sous certains aspects, il est nécessaire de dire qu'ils le sont tout autant entre eux. Ils éprouvent, à divers degrés, les difficultés que l'on a mentionnées et l'on constatera également une grande variation à l'intérieur de ces difficultés. Certains ont en effet plus de problèmes avec le contrôle du comportement, d'autres en ont moins avec cet aspect mais davantage avec les mécanismes mentaux reliés à l'exécution des tâches. Tous ces enfants sont également différents par leur personnalité, leurs capacités intellectuelles, leur sensibilité, tout autant que par l'environnement particulier qui les accompagne depuis leur naissance, ainsi que par les ressources disponibles qui les soutiennent et les aident tout au long de leur développement.

CHAPITRE

4

LES CAUSES

L orsque nous avons présenté, au chapitre précédent, les caractéristiques essentielles de l'entité, nous abordions par le fait même les mécanismes qui provoquaient leurs manifestations, et nous répondions en partie à notre question de départ: «En quoi ces enfants sont-ils différents?» Nous voulons maintenant essayer de répondre à cette autre question: «Pourquoi agissent-ils ainsi?» Pour ce faire, nous allons nous référer à ce que la science neurologique nous apprend sur le fonctionnement du cerveau et le déficit d'attention-hyperactivité. Nous serons ainsi par la suite mieux en mesure d'apprécier les différents facteurs qui sont souvent associés aux causes.

L'explication neuro-biologique

Quelle que soit leur discipline, ceux qui aujourd'hui connaissent bien le déficit d'attention-hyperactivité s'entendent pour dire que l'entité est un problème d'ordre neurologique, c'est-à-dire que certains éléments du système nerveux central ne fonctionnent pas exactement comme ils le devraient.

Tel qu'abordé dans le chapitre sur le survol historique, nous savons que la perception du problème a beaucoup évolué au fil des années. Nous avons vu que l'accent a été mis tantôt sur l'agitation, tantôt sur les problèmes d'attention, et plus récemment sur les difficultés à accomplir certaines tâches. De leur côté, les chercheurs en science neurologique, par des expériences chez l'animal puis par des observations chez l'être humain, ont fait des progrès importants au niveau de leur connaissance du fonctionnement du cerveau. En jumelant certaines de ces recherches en laboratoire à d'importantes observations cliniques faites auprès d'enfants avec un déficit d'attention-hyperactivité, nous sommes maintenant en mesure de mieux comprendre ce qui se passe chez ces enfants sur le plan neurologique. En voici une version simplifiée.

En présence du déficit d'attention-hyperactivité, deux secteurs du cerveau semblent être particulièrement en cause. Un premier, que nous appellerons le secteur inférieur et que les scientifiques nomment le «striatum» agit normalement comme centre de relais des sensations auditives, visuelles et tactiles qui viennent de l'extérieur. Son rôle un peu d'antichambre, serait en quelque sorte de filtrer toutes les informations reçues, afin d'éviter que le secteur supérieur avec lequel il est en communication soit inondé par trop d'informations. Ce secteur inférieur, très riche en substance chimique cérébrale appelée dopamine, fait lui-même partie d'un regroupement de structures du lobe lymbique, lequel est associé aux émotions, et traite du phénomène des punitions et des récompenses.

Le second secteur, que nous appellerons le secteur supérieur et que les scientifiques appellent la zone préfrontale, est situé à la surface-avant du cerveau. Ce secteur est le siège de fonctions mentales complexes, telles que la planification, l'organisation d'activités, l'inhibition et la censure de comportements non appropriés, ainsi que le maintien de l'attention. Ce secteur lui-même est riche en substance chimique appelée norépinéphrine.

Les secteurs inférieur et supérieur sont reliés entre eux par des circuits de cellules et de fibres nerveuses qui forment comme un axe de communication. Il existe plusieurs axes de communication entre les différents secteurs du cerveau, et il semble que ceux affectés lors d'un déficit d'attention-hyperactivité sont ceux de l'axe inférieur (striatum) et supérieur (frontal/préfrontal). Pour en connaître le fonctionnement, penchons-nous donc sur des recherches faites d'abord chez l'animal, puis ensuite chez l'être humain.

Des observations en biologie animale

Des observations en laboratoire faites chez le rat révèlent que lorsque son secteur inférieur est endommagé par une injection de substance toxique à cet endroit, on peut provoquer chez lui un état d'hyperactivité. Il est intéressant d'observer que si cette expérience est faite chez le tout jeune rat, le tableau d'agitation créé diminuera sensiblement avec la maturation, de la même manière qu'elle diminue chez l'enfant avec un déficit d'attention-hyperactivité. Des observations similiaires peuvent également être notées chez le singe, en détruisant la même zone par une substance toxique administrée par la bouche. Dans cette expérience chez le singe, on a de plus démontré qu'il avait aussi de la difficulté au niveau des tests psychologiques qui évaluent les fonctions reliées au secteur supérieur, ce qui démontre un lien entre les deux secteurs. On retrouve d'ailleurs le même type de difficultés, si l'on détruit ou endommage le secteur supérieur. Notons que chez le singe, comme chez le rat, la destruction du secteur inférieur amène en plus des difficultés d'apprentissage reliées au phénomène des récompenses. L'animal devient alors moins réceptif et efficace dans cette modalité d'apprentissage. Ces expériences de destruction des secteurs identifiés, ont en commun de provoquer un appauvrissement important des substances chimiques en cause. Il est d'ailleurs possible de corriger en partie le problème créé, en administrant une substance chimique qui a un effet semblable à celle qui a été détruite, ou qui ne peut plus être produite. Le méthylphénidate (Ritalin: voir le chapitre sur la médication) est l'une de ces substances de remplacement.

Des observations chez l'enfant et l'adulte

En 1989, en Hollande, à l'aide de techniques qui mesuraient le flot sanguin cérébral et conséquemment indiquaient l'intensité de son activité, on a pu tracer une carte du cerveau en fonction de l'intensité de l'activité cérébrale. Convertie en couleur par ordinateur, on pouvait ainsi très clairement distinguer les zones chaudes très actives d'une même couleur, et d'une autre couleur, les zones froides, donc peu actives. Ces tests furent administrés à des enfants normaux, des enfants avec un déficit d'attention-hyperactivité, et des enfants qui présentaient d'autres problèmes neurologiques. A leur interprétation, on a pu observer que les enfants avec un déficit d'attention-hyperactivité présentaient une activité réduite du secteur inférieur, par rapport aux résultats observés chez les enfants normaux. Les mêmes tests furent refaits après une administration de Ritalin, et les résultats devinrent comparables à ceux des enfants normaux. De plus, on a observé que le problème semblait plus important du côté droit du cerveau.

En 1990, avec des techniques quelque peu différentes appliquées chez les adultes, on a tenté de reproduire une carte du cerveau selon l'utilisation du glucose (sucre) par ses différents secteurs. L'étude comprenait 25 adultes qui, par le passé, avaient été des enfants avec un déficit d'attention-hyperactivité, et qui en présentaient encore certains symptômes. Comparativement aux adultes normaux, on a alors remarqué une diminution de 8 % dans l'utilisation des sucres, les réductions les plus importantes étant observées dans la partie du cortex préfrontal, c'est-à-dire celle qui correspond à ce que l'on appelle ici le secteur supérieur. Cette étude rejoignait en quelque sorte les notions qui veulent que le déficit d'attention-hyperactivité, malgré ses apparences d'hyper-fonctionnement, soit en réalité un sous-fonctionnement de secteurs cérébraux.

Les techniques modernes de radiologie du cerveau, ct-scan et résonance magnétique, n'ont pas, à ce jour, mis en évidence d'aspects anormaux chez l'enfant avec un déficit d'attention-hyperactivité. Il est toutefois à noter que ces techniques prennent des photographies de plus en plus précises du cerveau, tout en ne nous disant rien de plus sur son fonctionnement. (C'est un peu comme la photographie des bagages dans un aéroport. On peut par exemple très bien y voir le détail d'un baladeur, mais cette précision ne nous dit toutefois pas comment il fonctionne.) Quant à l'électro-encéphalogramme, qui a pour but de mesurer l'activité électrique cérébrale, il n'a pas non plus montré de manière constante des variations au niveau des différentes études. Tout au plus, a-t-on pu noter des ralentissements qui pouvaient peut-être suggérer une immaturité neurologique.

Les connaissances actuelles soutiennent de plus en plus que nous sommes en présence d'un fonctionnement perturbé entre deux secteurs du cerveau. Le problème se caractérise par un sous-fonctionnement d'un secteur inférieur qui perturbe le secteur supérieur, ce qui entraîne les caractéristiques que l'on connaît chez les enfants avec un déficit d'attention-hyperactivité. Le sous-fonctionnement du centre inférieur correspond à un manque de substance chimique cérébrale qui, si elle est remplacée par une substance semblable comme on le fait avec une médication, peut partiellement rétablir ce sous-fonctionnement. De plus, il est important de retenir que cette difficulté est associée au développement cérébral, qu'elle évolue au cours des années, et qu'elle tend à se résorber à divers degrés avec la maturation normale du système nerveux.

Avec le temps, cette explication se complétera et se raffinera. On verra peut-être que chez certains, le problème est davantage au niveau du secteur supérieur, chez d'autres au niveau du secteur inférieur. On pourra également voir qu'il y a des relations avec d'autres secteurs du cerveau, et que nous les sous-estimons présentement. On pourra probablement aussi mieux comprendre les différences qui existent, les formes les plus sévères, ceux qui semblent avoir le plus de difficultés avec l'impulsivité, et les autres avec l'accomplissement des tâches.

Ce regard particulier sur les aspects neuro-biologiques nous a éclairé sur ce qui ce passe à ce niveau dans le cerveau, et nous amène maintenant à nous poser la question suivante: quels en sont les causes? Qu'est-ce qui est responsable du déséquilibre, dans ces deux secteurs spécifiques du cerveau.

Les facteurs responsables

Absence de causes évidentes

L'absence de causes, ou du moins l'absence d'évidences de causes qui pourraient expliquer le déficit d'attention-hyperactivité demeure la réalité à laquelle on doit faire face dans la majorité des cas. En effet, il semble bien souvent qu'il n'y ait tout simplement rien eu d'anormal: la grossesse comme l'accouchement se sont bien déroulés, et rien de particulier n'a été noté dans l'histoire de santé de l'enfant. Une étude américaine faite dans les années 70 et comprenant un suivi de milliers de grossesses, abonde d'ailleurs en ce sens. Il est toutefois essentiel de préciser que l'absence d'évidence de causes, ne veut pas dire qu'il n'y en ait pas.

Les facteurs héréditaires

Lorsqu'on se penche sur la composante familiale de l'enfant avec un déficit d'attention-hyperactivité, il n'est pas rare de retrouver un oncle, un frère ou une soeur qui a éprouvé les mêmes difficultés. Des études faites au niveau de la famille révèlent en effet que dans 20 à 30 % des situations, on retrouve un autre membre de la famille immédiate, qui aurait déjà présenté les mêmes symptômes. Des recherches chez les jumeaux et du côté des familles d'adoption ont été faites, en vue de mieux préciser ces liens avec l'hérédité. Les études chez les jumeaux identiques révèlent une concordance passablement élevée. Dans le cas des jumeaux non identiques, la concordance serait de 30 %, ce qui correspond au pourcentage mentionné pour un autre membre d'une famille. À l'observation des familles qui adoptent un enfant hyperactif, on ne retrouve pas d'incidence plus élevé dans la famille adoptive que dans la population normale. Il ressort donc que l'hérédité est un facteur associé, et qu'on le retrouve dans certaines familles, un peu comme c'est le cas pour l'hypertension artérielle ou le diabète.

Les facteurs neurologiques

Si pour la très grande majorité des enfants avec un déficit d'attention-hyperactivité on ne retrouve pas un historique de problèmes neurologiques, mentionnons que les enfants qui ont un historique d'insulte cérébrale à un moment ou à un autre de leur vie, sont plus susceptibles que les enfants normaux de développer par la suite cette entité. C'est par exemple le cas des enfants qui présentent une malformation cérébrale congénitale, un problème d'épilepsie, qui ont souffert d'une intoxication au plomb, ou dont la mère a abusé d'alcool durant la grossesse. Dans de telles situations, on ne peut cependant préciser si les symptômes de ces enfants sont associés à des difficultés dans les mêmes secteurs du cerveau que ceux décrits plus haut.

Les facteurs alimentaires

Les additifs, les colorants et les sucres ont tour à tour été tenus responsables, tantôt comme causes directes du déficit d'attention-hyperactivité, tantôt comme facteurs aggravants des symptômes.

Benjamin Fingold, dans son livre intitulé *Pourquoi votre enfant est hyperactif*, publié en 1975, prétendait qu'en éliminant les additifs, les colorants et certains produits qui en contenaient, on éliminerait du même coup l'hyperactivité. Sa diète recommandée comprend l'élimination de céréales avec couleurs et saveurs artificielles, les nourritures avec salicylate, comme les amandes, les pommes, les abricots, les oranges, les tomates, les concombres, les fraises, le bologne, le jambon, le poisson congelé, le yogourt aux fruits, la crème glacée, les déjeuners instantanés en breuvage, les mélanges à gâteaux, le pain aux raisins, la gélatine aromatisée, l'aspirine composée, les pastilles, les pâtes dentifrices (que l'on peut substituer par du bicarbonate de soude), de même que tous les médicaments. Les boissons gazeuses sont aussi bannies, sauf le Seven-Up. On réalise que cela fait vraiment beaucoup d'aliments à surveiller!

Mais devant la popularité de cette approche, des études ont été entreprises. Elles ont démontré qu'aucun lien n'existait réellement entre les aliments de la diète de Findgold, et la présence d'hyperactivité chez les enfants en question. D'autre part, on doit noter qu'il est difficile de priver les enfants d'une si grande variété d'aliments, et que finalement, la diète n'est que très rarement suivie complètement, les enfants ayant eux aussi cette habitude de tricher! De plus, il est évident que tout parent qui se donne un tel «contrat» est habituellement de nature à avoir une attitude plus tolérante et compréhensive; il n'est donc pas surprenant que l'on ait eu l'impression, du moins initialement, que cette approche semblait donner des résultats. La diète est beaucoup moins populaire maintenant, et heureusement pour les enfants qui sont déjà suffisamment marginalisés par leurs problèmes, sans avoir en plus à ne pas manger la même chose que leurs amis. Cependant, la chimie cérébrale ayant encore ses secrets, nous n'excluons pas que certaines substances puissent avoir une influence sur les comportements. Ainsi, comme dans le cas de la caféine qui a été reconnue efficace pour diminuer les symptômes, il ne serait pas du tout impossible ni surprenant de rencontrer d'autres aliments spécifiques qui puissent influencer le comportement, dans un sens ou bien dans l'autre.

Après les additifs, ce fut le tour des sucres de prendre le blâme. Ils sont en réalité plus reconnus comme ayant un impact sur le comportement, et certains parents trouvent par exemple que leur enfant est vraiment «pire», ou qu'il devient très «hyper» lorsqu'il mange du chocolat. L'existence d'un tel lien remonte à 1975, et se référait alors aux sucres raffinés. Si quelques études initiales ont pu laisser croire qu'on était sur une piste intéressante, ce ne fut pas la cas de la quinzaine d'études subséquentes qui ont toutes démontré qu'il n'y avait en fait aucun lien entre le sucre et un comportement hyperactif. Une de ces études, qui a été menée dans un camp d'été pour enfants hyperactifs, avait divisé le groupe d'enfants en deux: l'un recevait une diète sans sucre, l'autre une diète avec sucre. Ni les enfants ni les moniteurs ne savaient à quel groupe ils appartenaient. Les résultats ont été très concluants, en ce sens qu'ils n'ont révélé aucune différence d'un groupe à l'autre au niveau des comportements.

Les facteurs psycho-sociaux

Le déficit d'attention-hyperactivité a déjà été considéré comme étant un problème causé par un contexte social ou familial, dans lequel se retrouvent des facteurs de stress chronique, ou encore des problèmes reliés à des inhabiletés parentales dans la manière d'éduquer les enfants. Toutefois, il faut bien préciser qu'aucun lien direct n'a jamais été établi qui puisse nous permettre de soutenir ces allégations. Chez les enfants avec un déficit d'attention-hyperactivité, il se peut qu'on retrouve effectivement une incidence plus élevée de difficultés familiales, mais comme conséquence de stress associé à la présence d'un tel enfant dans cette famille.

■

Ce chapitre sur l'explication et les causes nous apparaît particulièrement important et voudrait communiquer explicitement ce message: le déficit d'attention-hyperactivité est un problème d'ordre neurologique. Comprendre cet aspect, c'est comprendre les racines profondes des difficultés de l'enfant. Malheureusement, la compréhension et la reconnaissance de cette dimension neurologique demeure encore inconnue de trop de personnes qui sont les plus impliquées auprès de ces enfants.

CHAPITRE

5

CONDITIONS ASSOCIÉES ET PARTICULARITÉS

Le déficit d'attention-hyperactivité, dans sa forme la plus simple, est en quelque sorte l'association des diverses caractéristiques que nous venons d'énoncer, à savoir les difficultés au niveau de l'attention, de l'agitation, de l'impulsivité et de l'accomplissement de certaines tâches. Ceci dit, nous constatons que plusieurs de ces enfants rencontrent également, à divers degrés, des problèmes dans des domaines connexes, tels des difficultés de développement au cours des première années, des troubles d'apprentissage académique par la suite, et finalement des problèmes de comportement. Ce que nous nous proposons de faire maintenant, c'est d'aborder ces différents problèmes que nous appellerons particularités ou conditions associées. Dans un premier temps, penchons-nous brièvement sur l'incidence de cette entité chez l'enfant en général, regardons la différence qu'il existe entre le garçon et la fille, et examinons ensuite l'état général de leur santé.

Incidence

Le déficit d'attention-hyperactivité est une entité universelle qui existe dans tous les pays et chez toutes les ethnies. Les études qui ont tenté de déterminer un pourcentage d'enfants qui en présentaient les caractéristiques, ont affiché un écart important au niveau des résultats. Ces écarts se situent en effet de 1 à 20 %, ce qui révèle bien que d'une étude à l'autre, les observateurs en question ne parlaient certainement pas tout à fait de la même chose.

Nous constatons aussi qu'il est très difficile d'établir des normes au niveau du comportement de l'enfant. Ainsi, lorsqu'on dit de tel enfant qu'il est hyperactif, il peut certainement être plus agité que la moyenne des enfants de son âge, tout en restant tout à fait dans la norme. De plus, pour tel observateur, un enfant pourra être considéré comme très hyperactif, alors que pour un autre, il sera considéré comme présentant une hyperactivité modérée. Nous avons remarqué que les études qui exigeaient que les parents, l'enseignant et le médecin soient tous d'accord sur l'entité rencontrée chez l'enfant évalué, n'indiquaient par contre qu'une incidence de 1 %. En fait, ce n'est que très récemment que les études et les évaluations se basent sur des critères précis pour poser un diagnostic. Nous les aborderons d'ailleurs plus en détail au chapitre 6. Disons que présentement, nous sommes portés à croire que l'incidence réelle se situe probablement entre 3 et 5 %, soit un enfant par vingt à trente. Une étude ontarienne donne une incidence de 7 % en milieu urbain, et de 4% en milieu rural. Cette étude a aussi noté que l'incidence pouvait varier légèrement selon les différentes classes sociales, les classes économiquement défavorisées ayant une incidence un peu plus élevée que les autres.

Il est très intéressant de constater qu'il semble y avoir une différence importante entre les garçons et les filles, puisque les statistiques indiquent que cette entité se retrouve chez trois fois plus de garçons que de filles. Dans les cliniques spécialisées en psychiatrie infantile, nous observons même un rapport de six garçons pour une fille seulement. Ceci serait probablement dû au fait que ce genre de cliniques regroupent surtout les cas référés qui sont les plus sévères, et le plus souvent aussi en association avec d'autres problèmes de comportement, comme l'agressivité qui demeure plus fréquemment observée chez le garçon. Par contre, s'il est clair que le déficit d'attention-hyperactivité se retrouve plus souvent chez le garçon que chez la fille, des études récentes ne montrent pas de différence entre les deux, quant aux capacités intellectuelles, à la performance académique, aux relations avec les pairs, aux problèmes émotionnels et aux problèmes de comportement.

État de santé

De façon générale, on peut affirmer que ces enfants ne présentent pas de problèmes de santé particuliers. Des études antérieures ont suggéré une incidence peut-être un peu plus élevée chez eux, d'éneurésie (mouiller son lit), ou d'encoprésie (retenir ses selles et souiller ses sous-vêtements). D'autres études ont également démontré une incidence plus grande d'allergies et d'asthme, mais des ouvrages subséquents n'ont pas confirmé cette association. Un aspect important et qui ressort constamment est la plus grande propension de ces enfants aux accidents. À ce sujet, des recherches ont examiné la fréquence des intoxications, des fractures, des lacérations, des traumatismes crâniens, des dents brisées, etc. et il apparaîtrait qu'elle serait effectivement plus élevée chez ce type d'enfants, mais que cette association n'est vraie que pour ceux chez qui l'on retrouve également une association d'agressivité. De plus, ils ne sont pas hospitalisés, ni opérés plus souvent que les autres, et lorsqu'ils le sont, la durée moyenne de leur séjour à l'hôpital n'est pas différente des autres enfants du même âge.

Par contre, le sommeil pose un problème pour plusieurs d'entre eux. En effet, il semble qu'ils prennent beaucoup plus de temps à s'endormir que la moyenne, et qu'ils se réveillent aussi plus souvent la nuit. Des études démontrent que 55 % des parents affirment qu'au matin, ils retrouvent leur enfant encore fatigué, alors que cette proportion n'est que de 27 % chez les autres enfants. On peut constater que des difficultés au niveau du sommeil sont souvent observées très tôt chez le nourrisson, ce qui laisse souvent les parents épuisés après plusieurs nuits sans sommeil.

En somme, mis à part leurs difficultés du côté sommeil, une possible propension aux accidents et une incidence d'allergies peut-être plus élevée, on constate que les enfants avec un déficit d'attention-hyperactivité ne présentent pas de problèmes de santé particuliers. Voilà tout de même un point positif au tableau!

Développement

Lorsqu'on se demande si ces enfants ont des problèmes particuliers de développement au cours de leurs toutes premières années, on note que leur développement global correspond à la norme, mis à part des difficultés particulières reliées aux caractéristiques essentielles déjà soulignées. Il semble qu'ils se développent normalement dans tous les secteurs, mais certains peuvent présenter des difficultés au niveau de la motricité et du langage. Penchons-nous maintenant sur ces deux aspects, en regardant ensuite les particularités qui peuvent aussi être observées au niveau du développement intellectuel.

Développement moteur

Du côté motricité, les différentes étapes du développement moteur se présentent à l'âge normal, mais on remarque que la qualité de cette motricité est cependant moins bonne. Ainsi, à l'âge où ils doivent se tenir assis, ramper, marcher, aller à bicyclette, ces enfants rencontrent généralement les normes établies, mais on retrouve chez eux un pourcentage un peu plus élevé que chez les autres enfants du même âge, des problèmes de coordination motrice. Dans l'ensemble, le geste apparaît plus gauche, l'équilibre moins sûr, et ils ont de la difficulté au niveau de certaines activités qui exigent l'utilisation de plusieurs groupes de muscles à la fois. Par exemple, lorsqu'on veut découper avec des ciseaux, il faut être capable de stabiliser le poignet tout en faisant un mouvement de rapprochement et d'éloignement du pouce, de l'index et du majeur. Pour eux, cette coordination de mouvements peut être difficile. Il en est de même pour les activités impliquant un crayon, comme la copie et plus tard l'écriture; ils ne peuvent isoler les mouvements de la main et des doigts du reste du bras, de sorte qu'ils pèsent trop fort, l'épaule et le bras bougent avec la main et les doigts, et l'on observe que leur effort est souvent accompagné de grimaces. En réalité, c'est pour eux une tâche plus difficile à accomplir. On se doit d'ajouter que ce type de problème n'est toutefois pas propre aux enfants avec un déficit d'attention-hyperactivité, et qu'il n'est pas nécessairement non plus relié à la sévérité de leur cas. Ainsi, on peut parfois retrouver chez un enfant qui présente un cas léger de déficit d'attention, un problème sévère de coordination motrice, comme on peut retrouver chez un enfant avec un déficit sévère, des habiletés motrices qui sont excellentes.

Développement du langage

Ces enfants ne présentent pas forcément de retard de langage. Ils comprennent habituellement bien ce qu'on leur dit, même si parfois les parents semblent avoir des doutes à ce sujet. Ils parlent en général plus souvent, et beaucoup plus que les autres enfants. Dans ce qu'on appelle le langage «courant», ils ne rencontrent pas non plus de problèmes particuliers. Toutefois, lorsqu'ils sont confrontés à des situations où le langage doit être organisé en fonction d'une tâche précise, comme par exemple raconter un accident qui vient de se produire au coin de la rue, certains d'entre eux verbalisent alors plus difficilement, et leur récit est ponctué d'hésitations de type «e», «hum», etc. Il semblerait que ces difficultés témoignent de problèmes au niveau des centres supérieurs reliés à l'organisation de la pensée. Nous remarquons aussi que ce type de problème qui touche le volet expressif du langage se retrouve à peu près deux fois plus fréquemment chez l'enfant avec un déficit d'attention que chez l'enfant normal, et peut être également l'indication de troubles de lecture et d'apprentissage à venir.

Développement intellectuel

Les enfants avec un déficit d'attention-hyperactivité ont-ils un développement intellectuel normal? Le fonctionnement de leur intelligence est-il différent de celui des autres enfants?

En réalité, on retrouve chez eux comme chez tous les autres enfants plusieurs niveaux d'intelligence, allant de l'intelligence supérieure à la déficience intellectuelle. Aux tests d'intelligence standards, on note qu'ils ont des résultats légèrement inférieurs (de 7 à 15 points) à ceux des enfants de leur âge, ou à ceux de leurs frères et soeurs. Cette différence n'est cependant pas facile à interpréter. Nous sommes portés à croire qu'il ne s'agit pas là d'une différence véritable, mais plutôt d'une différence reliée aux difficultés qu'ils ont dans l'accomplissement des tâches demandées lors des tests. En somme, ils pourraient être plus faibles, à cause justement de la manière dont l'intelligence est mesurée.

Si nous regardons de plus près leur fonctionnement intellectuel, nous observons qu'ils ont plus de difficultés au niveau des tâches qui requièrent des stratégies complexes de résolutions de problèmes. Ils semblent également utiliser des stratégies moins efficaces dans les tâches qui exigent de la mémoire. Pourtant, on sait qu'en réalité, ils n'ont pas de problèmes de mémoire comme tels, et qu'ils sont capables d'amasser et de retrouver dans leur mémoire l'information dont ils ont besoin. Leur difficulté majeure serait plutôt dans leur stratégie qui reste très impulsive, pauvrement organisée, et relativement inefficace lorsqu'il s'agit de faire certaines tâches.

Chez l'enfant avec un déficit d'attention-hyperactivité, l'évaluation des capacités intellectuelles demeure une tâche qui n'est pas toujours facile, en particulier chez le jeune enfant, ou chez l'enfant avec des difficultés sévères. Il n'est pas rare, en effet, que dans l'interprétation des résultats, le psychologue fasse alors part aux parents de certaines réserves, compte tenu du manque de collaboration de l'enfant, de ses difficultés d'attention, et de l'impulsivité retrouvée lors de l'évaluation.

Troubles d'apprentissage académique

La présence de troubles d'apprentissage académique demeure un aspect qui touche un bon nombre d'enfants. Les études faites en regard du rendement académique révèlent en effet que ces enfants fonctionnent souvent en dessous de leur vrai potentiel. C'est d'ailleurs une impression que les parents et les enseignants partagent: l'enfant pourrait mieux réussir. D'ailleurs, des études ont démontré qu'entre 23 et 35 % des enfants avec un déficit d'attention-hyperactivité devaient reprendre une année au primaire. Nous ne pouvons donc nier que les troubles d'apprentissages soient effectivement bien réels pour cette catégorie d'enfants. Toutefois, il demeure difficile d'être plus précis, car nous ne savons trop à partir de quel écart entre le potentiel de l'enfant et son rendement académique, nous pouvons commencer à parler de troubles d'apprentissage. D'un point de vue conservateur, il est estimé cependant qu'entre 20 et 25 % de ces enfants ont des difficultés à un moment ou à un autre de leur apprentissage académique, au niveau de l'écriture, des mathématiques ou de la lecture.

Ces troubles d'apprentissage peuvent prendre leurs racines directement dans les caractéristiques essentielles de l'entité, telles que l'hyperactivité, le déficit d'attention ou l'impulsivité. Elles peuvent également être le résultat d'une composante reliée aux problèmes de développement que nous venons de mentionner, à savoir les difficultés de motricité et du langage. À ces deux caractéristiques, peuvent également se greffer d'autres problèmes spécifiques, comme des difficultés au niveau de l'espace (par exemple, ils ne peuvent pas retrouver une ligne ou un paragraphe sur une page donnée), ou encore au niveau de l'organisation dans le temps (ils ne peuvent facilement distinguer entre hier et demain). Nous reviendrons sur ces problèmes plus en détail au chapitre sur le diagnostic.

Problèmes de comportement: Agressivité et conduite

Pour certains enfants, la dimension «problèmes de comportement», tels que l'agressivité ou les autres problèmes de conduite, est l'élément le plus problématique, tant à la maison qu'à l'école. Qu'en est-il exactement? Y a-t-il vraiment un lien entre le déficit d'attention-hyperactivité et les problèmes de comportement? Avant de pouvoir y répondre, nous aimerions préciser ce que l'on entend par un problème de comportement.

Disons tout de suite que les problèmes de comportement que nous allons aborder ici se regroupent en deux catégories principales: l'agressivité et les problèmes de conduite. L'enfant agressif, également appelé l'enfant défiant, est celui dont le caractère est facilement hostile. Il est négatif, antagoniste, et l'on sent chez lui une forme d'irritation comme s'il était presque toujours fâché. Au niveau de ses actions, il est crâneur et résiste continuellement en s'opposant aux demandes faites par son entourage, plus particulièrement aux demandes faites par ceux qui s'occupent de lui. Il perd parfois le contrôle, peut devenir violent, et même en venir aux coups de poing et aux batailles dans ses confrontations avec les autres enfants de son âge.

L'enfant qui a ce que l'on appelle des problèmes de conduite est habituellement un peu plus vieux. C'est l'enfant qui a tendance à ne pas respecter les règles sociales qui se rapportent aux droits et à la propriété des autres. C'est celui qui vole, qui ment, qui sèche ses cours, qui entre par infraction dans les édifices, les domiciles ou les autos, et qui peut même détruire la propriété d'autrui.

Les manifestations d'agressivité ou de problèmes de conduite sont souvent la résultante de deux facteurs bien précis, à savoir d'une part un tempérament négatif chez le jeune enfant, une irritabilité, un caractère prompt, ainsi qu'un seuil bas de frustration, et d'autre part, la situation de cet enfant dans un milieu familial difficile. En réponse à des contraintes souvent imprévisibles ainsi qu'à des échanges verbaux ou physiques antagonistes de la part de ses parents, l'enfant peut également devenir agressif afin de limiter l'intrusion parentale, et ainsi se protéger lui-même. Le problème a généralement tendance à se développer au cours de la petite enfance, et comme on tolère plus facilement chez le jeune enfant un comportement agressif, ce n'est souvent que dans un contexte de socialisation comme en milieu de garderie ou à la période scolaire, que le problème va plus clairement ressortir. Avec le temps, ces enfants vont développer une estime de soi pauvre, des retards académiques, ainsi que des difficultés importantes dans les relations avec leurs pairs. Un certain pourcentage va également développer des problèmes de conduite plus sérieux tels que ceux que nous venons juste de décrire.

Les enfants avec un déficit d'attention-hyperactivité qui font aussi preuve d'agressivité, sont appelés à rencontrer des difficultés importantes. En effet, des études ont démontré que ce type d'enfant était beaucoup plus souvent rejeté de ses pairs, que l'enfant qui ne présentait que l'un ou l'autre de ces problèmes. Ceci est probablement dû au fait que l'agressivité, combinée aux caractéristiques essentielles de l'entité, empire la situation en créant une influence aggravante réciproque. De plus, nous pouvons dès maintenant réaliser que lorsque nous sommes en présence de problèmes de comportement, il n'est pas toujours facile de déterminer ce qui appartient au déficit d'attention et ce qui appartient à l'agressivité, dans les difficultés vécues par l'enfant au jour le jour.

Le développement de l'agressivité est une réalité que nous pouvons retrouver chez tout enfant, indépendamment de l'existence d'un diagnostic de déficit d'attention-hyperactivité, ce qui s'inscrit alors dans une dynamique particulière d'interaction enfant-parents. Nous devons par contre mentionner que les caractéristiques essentielles de l'enfant avec un déficit d'attention-hyperactivité, dont particulièrement celle de l'impulsivité, deviennent par le fait même un terrain particulièrement propice au développement d'un comportement agressif; ceci est d'autant plus vrai, si nous retrouvons une même tendance à l'impulsivité chez le parent, compte tenu des facteurs héréditaires déjà mentionnés. Néanmoins, la grande majorité des enfants dits agressifs et qui ont des problèmes de conduite, ne sont pas des enfants avec un déficit d'attention-hyperactivité. Par contre, un bon nombre d'enfants diagnostiqués comme tels ne sont pas non plus des enfants agressifs, et ne présentent pas de problèmes particuliers de conduite. Comme tout autre, il va de soi que l'enfant avec un déficit d'attention-hyperactivité peut avoir des comportements antagonistes en réaction à des situations particulières; dans un tel contexte, son comportement agressif n'est qu'une manifestation normale, et il n'a pas la même signification que dans la situation dont on vient de parler.

Je pense que ce chapitre nous a permis de revoir les conditions qui sont parfois associées au déficit d'attention-hyperactivité, telles que des difficultés de développement moteur, de langage, ainsi que les problèmes intellectuels, académiques ou de comportement. Nous avons pu constater que cette entité ne survenait habituellement pas seule, et que chez bon nombre d'enfants, des difficultés parallèles venaient souvent s'ajouter. L'étape de l'évaluation et du diagnostic, que nous allons aborder dans le prochain chapitre, devrait nous permettre de mieux situer les différents aspects de ces difficultés, ainsi que la manière dont elles se présentent habituellement.

CHAPITRE

6

ÉVALUATION DIAGNOSTIQUE

Nous avons jusqu'ici regardé les caractéristiques essentielles du déficit d'attention-hyperactivité, ainsi que les causes et les conditions qui lui sont souvent associées. Nous en sommes maintenant à l'étape du diagnostic, c'est-à-dire au jugement posé qui va préciser si un enfant a ou n'a pas un déficit d'attention-hyperactivité. Comme nous le verrons au cours de ce chapitre, le diagnostic sera posé à partir d'une évaluation globale basée sur l'histoire de l'enfant, son évolution, et ses caractéristiques cliniques.

Comme les parents et les personnes concernées par les problèmes de l'enfant ne veulent pas savoir seulement s'il présente ou non un déficit d'attention-hyperactivité, mais également, si tel est le cas, quelle en est la sévérité, quel type de problèmes est à venir, et surtout qu'est-ce qui peut être fait pour l'aider, l'évaluation va tenter d'être à la fois la plus large et la plus complète possible. La situation de l'enfant d'âge pré-scolaire étant un peu différente, nous allons l'aborder séparément, et dès maintenant.

La petite enfance

Dans la majorité des situations, les enfants de trois ou quatre ans qui ont un déficit d'attention-hyperactivité ne posent pas suffisamment de problèmes pour qu'une démarche d'évaluation diagnostique soit faite. En effet, on constate que l'enfant a des difficultés, mais on se dit qu'il est en évolution constante, et qu'il a le droit d'être différent des autres; on en parle, mais ça ne va pas plus loin. Phillipe illustre bien cette situation. Les parents de Phillipe n'ont finalement consulté qu'à l'âge scolaire, quand les difficultés de ce dernier et les pressions de l'extérieur se sont accumulées. Par contre, il existe aussi des enfants pour qui les parents iront consulter dès la petite enfance. Nous les avons réunis ici en quatre groupes. Voyons donc qui ils sont et ce qu'ils ont de particulier.

Un premier groupe comprend des enfants de deux à trois ans dont le problème d'agitation est extrême. Ce sont des enfants qui exigent une surveillance constante, et pour qui les parents doivent se relayer sans cesse. Tout gardiennage et toute sortie demeurent impossible, ce qui rend le quotidien encore plus difficile à supporter. Ces parents ont généralement un urgent besoin de répit. Les enfants peuvent alors être référés en pédo-psychiatrie, et un diagnostic de déficit d'attention-hyperactivité sévère est parfois posé. La médication est souvent le seul moyen de normaliser quelque peu la situation.

Un deuxième groupe réunit des enfants un peu plus vieux et moins agités, mais chez qui l'on retrouve des problèmes importants de comportement, et la présence d'agressivité. Les enfants de ce groupe sont aussi souvent référés en pédo-psychiatrie. Leur situation familiale est souvent difficile, les relations sont tendues, et on y retrouve beaucoup de stress. Il sera alors difficile de déterminer la part exacte du déficit d'attention-hyperactivité dans leurs problèmes de comportement. Certains seront diagnostiqués comme présentant un déficit d'attention-hyperactivité, d'autres pas. En général, le suivi de ces enfants est irrégulier. Parfois on fera un essai avec la médication pour tenter d'améliorer la situation, mais elle demeurera souvent inefficace si d'autres mesures correctives ne sont pas également mises en place.

Un troisième groupe comprend les enfants qui ont des problèmes d'attention et d'agitation, mais qui ont également des retards dans leur développement psycho-moteur. Lorsque ces retards touchent à tous les domaines du développement, on parle alors d'un retard global ou d'un retard harmonieux. Toutefois, le retard peut davantage toucher une sphère en particulier, comme c'est le cas avec le langage ou la motricité. Selon la sévérité des cas et les ressourses professionnelles disponibles, ces enfants peuvent être référés à un programme de développement de l'enfant, où des ergothérapeutes, physiothérapeutes, orthophonistes, éducateurs spécialisés, psychologues, travailleurs sociaux, ou médecins vont tenter, selon le cas, de cerner et de comprendre le problème. Il pourra parfois y avoir, dans une de ces disciplines, des interventions hebdomadaires appelées thérapies, afin d'aider l'enfant par des activités que les parents pourront reprendre à la maison. Ce type d'intervention peut se faire également en collaboration avec les milieux de garderie, selon les situations. Les activités de stimulation que l'on tente de faire pour pallier les difficultés identifiées chez ces enfants demeurent souvent limitées, en raison des problèmes d'attention, d'agitation et d'immaturité. La médication y est rarement utilisée. Chez certains, les difficultés vont diminuer avec le temps et la maturité, de sorte qu'on concluera, après la maternelle ou après une année passée dans une classe de maturation, que les difficultés d'attention et d'agitation étaient sans doute liées à des difficultés plus ou moins bien identifiées, comme à une insécurité ou à une anxiété d'adaptation que vivait l'enfant. D'autres vont continuer à présenter des retards académiques, et malgré certains progrès observés, n'arriveront pas à faire le rattrappage nécessaire. Ces retards vont s'accentuer à mesure que les tâches vont devenir de plus en plus complexes; avec le temps, une évaluation psychologique pourra indiquer un fonctionnement intellectuel lent. La plupart des enfants de ce troisième groupe ne sont pas des enfants avec un déficit d'attention-hyperactivité, même s'ils en présentent des caractéristiques qui le suggèrent. Selon leur évolution, si l'agitation et les difficultés d'attention sont importantes et persistent en milieu scolaire, un essai avec la médication sera souvent tenté afin de voir si une composante de l'entité ne serait pas présente. Selon notre expérience, la médication est souvent moins efficace chez ces enfants.

Dans un quatrième groupe, se retrouvent les enfants qui présentent des problèmes d'agitation, d'attention, d'impulsivité, ainsi que des retards sévères de développement. Pour eux, quelque chose ne va pas dans la manière dont ils communiquent avec leur environnement. Selon la sévérité des difficultés qu'ils présentent, un diagnostic de déficience intellectuelle, d'autisme, ou de problèmes graves de la communication (audi-mutité/dysphasies) pourra être initialement retenu. Avec le temps, le diagnostic se précisera. Dans ce groupe, les difficultés d'attention et d'agitation peuvent parfois être en relation avec un déficit d'attention-hyperactivité et répondre positivement à une médication. Mais la réalité nous montre qu'elles ne sont très souvent que l'expression de difficultés d'adaptation. Ainsi, un enfant avec une déficience intellectuelle à qui on fait des demandes qui sont au-delà de ses capacités, peut développer un comportement qui va ressembler à celui d'un enfant qui a vraiment un déficit d'attention-hyperactivité.

L'évaluation

Après avoir abordé la petite enfance, nous allons maintenant parler de l'évaluation proprement dite. Mentionnons tout de suite que les aspects que nous traiterons ici, tels que les attentes de l'évaluation et la documentation du cas, peuvent s'appliquer à toute situation, quel que soit l'âge de l'enfant ou le type de professionnel impliqué. L'évaluation peut également être très différente selon les ressources du milieu et le genre de problèmes que l'enfant présente. Elle peut se résumer en une évaluation médicale, éclairée d'observations venant du milieu scolaire... parfois elle peut être beaucoup plus élaborée et comprendre des évaluations dans plusieurs disciplines; c'est ce qu'on appelle alors une évaluation multi-disciplinaire. Cette dernière est davantage indiquée dans les situations complexes où se retrouvent également des conditions associées.

Ses attentes

Quel que soit l'âge où l'évaluation est désirée, il m'apparaît bien important de savoir qui veut quoi exactement, et quelles sont les attentes de la personne qui demande l'évaluation. Je voudrais que nous regardions ici trois exemples qui illustrent bien à quel point les attentes peuvent varier d'une situation à l'autre.

– Une intervenante sociale de la protection de la jeunesse a noté une agitation excessive et des difficultés de langage chez un enfant de trois ans et demi. Elle le réfère donc pour ce qu'elle pense être un déficit d'attention-hyperactivité associé à des difficultés de langage. Lorsque la mère entre dans mon bureau, elle mentionne tout de suite que son garçon n'a pas vraiment de problèmes, et qu'elle ne sait pas trop ce qu'elle vient faire ici, que c'est «elle» (la travailleuse sociale) qui l'oblige à venir.

– Un après-midi de novembre, des parents arrivent en catastrophe à mon bureau. Ils sortent d'une confrontation à l'école qui semble avoir été orageuse. Je connais bien la famille. Leur fils est né avec une malformation cardiaque qui fut opérée à l'âge de quatre ans et demi. Tout s'était alors bien déroulé. À la maternelle, leur fils a présenté des retards et de l'agitation. Les parents ont insisté par la suite pour qu'il monte en première année régulière, ce qui fut fait. Le père n'est pas encore revenu de sa confrontation à l'école et reste furieux. «Ils m'ont dit que mon garçon était hyperactif, qu'il ne fonctionnait pas, et qu'il avait besoin de médication. Ils veulent le mettre dans une classe de maturation, mais comme il n'y a plus de place ici, nous serons obligés de l'envoyer dans une autre école, à trente minutes d'autobus plus loin. C'est ça ou la maternelle à plein temps dans la même école». Les parents veulent que je prescrive un médicamment, rien de plus. Ils ne veulent ni échanger, ni discuter, ni même entendre parler du déficit d'attention-hyperactivité pour l'instant.

– Une mère se présente avec son fils de huit ans qui est hyperactif. Il est en deuxième année et rencontre de plus en plus de difficultés à l'école. Elle est déjà familière avec le diagnostic et ne doute pas un instant que ce soit le bon, en ce qui concerne son fils. Comme elle a beaucoup lu de choses contradictoires sur la médication, elle aimerait maintenant avoir une opinion médicale sur le sujet.

À la lecture de ces exemples, il est clair qu'on ne peut mener l'évaluation de la même manière dans les trois situations. C'est pour cette raison que, dès le départ, et afin d'apporter un éclairage particulier à la rencontre, j'ai l'habitude de poser aux parents les deux questions suivantes: «Pourquoi venez-vous consulter?» et aussi «Qu'est-ce que vous vous attendez de moi?» Il est alors intéressant de voir, pour moi tout autant que pour eux, comment la réponse à ces deux questions précise beaucoup d'éléments, et oriente l'évaluation elle-même.

Documentation de la situation

Nous avons déjà mentionné que le diagnostic de déficit d'attention-hyperactivité n'était pas facile à poser, et qu'il reposait sur l'histoire de l'enfant, son évolution, l'appréciation de certains critères, beaucoup plus que sur un examen ou des observations ponctuelles. Le diagnostic n'est pas inscrit dans le regard de l'enfant, et les professionnels, si expérimentés soient-ils, n'ont pas de technique magique pour poser un diagnostic. Il est donc important de prendre le temps d'échanger. Mais sur quoi échangeons-nous exactement?

Avec les parents, nous regardons tout d'abord les problèmes d'attention, d'agitation, d'impulsivité, ainsi que les difficultés que rencontre l'enfant à contrôler son comportement. Il est bon de remonter au début de l'apparition des symptômes, de regarder comment ceux-ci ont évolué, dans quelles circonstances, où et quand ils se manifestent davantage, s'ils sont toujours présents à la maison, à la garderie, à l'école, en visite, au restaurant ou au centre d'achats, et s'il y a des facteurs «précipitants». Nous échangeons sur ce que les autres en pensent, et nous regardons la socialisation. L'enfant a-t-il des amis? Si oui, comment fonctionne-t-il avec eux. Les garde-t-il longtemps? Ces derniers sont-ils plus jeunes ou plus vieux que lui? Comment est-il dans les activités sportives et les sports d'équipe? A-t-il des problèmes de discipline? Est-il docile ou agressif? On peut également demander si d'autres membres de la famille immédiate et élargie ont présenté, ou présentent des problèmes similaires. On revoit avec les parents le vécu familial: l'impact que les difficultés de l'enfant ont sur la famille, comment celle-ci réagit, si le père et la mère sont sur la même longueur d'onde, ce qu'ils pensent du problème de leur enfant et ce que l'enfant en pense lui-même. Nous échangeons sur ce qu'ils ont lu ou entendu sur le sujet, et sur les dispositions qu'ils ont prises jusqu'à maintenant pour essayer de résoudre certains problèmes. Beaucoup d'information peut également être déjà disponible, grâce à des questionnaires que les parents ou les enseignants auront remplis avant la visite.

Comme nous pouvons le constater, cette étape en rapport avec la documentation de la situation comprend un historique du problème, de même qu'un très large tour d'horizon du milieu de vie de l'enfant et de ses difficultés actuelles. À partir de ces informations, nous sommes déjà sur la piste d'un diagnostic possible, diagnostic qui sera complété à l'aide d'un ou de quelques examens spécifiques. Voyons maintenant quels sont ces examens.

L'examen médical

Cet examen comprend l'histoire médicale de la grossesse, de l'accouchement, du développement psycho-moteur et des problèmes de santé de l'enfant depuis la naissance. Il faut s'assurer qu'il n'y a rien eu qui révélerait des difficultés auditives ou visuelles. Ce retour sur le passé de l'enfant permet au médecin de se pencher sur les causes, et d'être en mesure de répondre à certaines questions du type: «Ne pensez-vous pas que Geneviève est ainsi à cause de sa naissance? Elle est née un mois plus tôt que la date prévue. Elle avait le cordon autour du cou, sa respiration était difficile, on a dû lui donner un peu d'oxygène, et la garder trois jours dans l'incubateur». Le médecin fait alors un examen physique complet. Cet examen est habituellement peu révélateur, mais il est nécessaire si l'on veut s'assurer que l'enfant ne présente pas d'autres problèmes médicaux.

Le médecin peut également faire un examen neurologique qui l'aidera à apprécier la force musculaire, le tonus, les réflexes, la coordination et les habiletés motrices. Ceci peut se faire par des exercices tels que: sauter en place sur une jambe, faire des mouvements de la main comme si on activait une marionnette, attraper une balle, frapper du pied un ballon, etc. Règle générale, cet examen ne révèle rien d'anormal; cependant, on pourra remarquer que certains enfants auront une qualité d'exécution qui ressemblera à celle d'un enfant plus jeune. Le médecin parlera alors de retard de neuro-maturation, d'immaturité du système nerveux. Parfois, les épreuves seront anormales et révéleront des difficultés au niveau de l'exécution des tâches. Le médecin parlera ici de «dysfonction neurologique», comme si le système nerveux avait en fait de la difficulté à exécuter des activités motrices complexes. Par le passé, les médecins portaient une attention particulière à ces indicateurs mineurs de difficultés neurologiques. C'est moins le cas aujourd'hui, même si ces indicateurs se retrouvent tout de même davantage chez les enfants qui ont un déficit d'attention-hyperactivité, ou qui présentent des troubles d'apprentissage.

Ajoutons que le médecin peut également, selon les circonstances, procéder à un examen neuro-développemental. Il s'agit ici d'un examen complémentaire du système nerveux, qui a pour but de mesurer certaines habiletés en fonction de l'âge de l'enfant. On y évalue par exemple ses capacités visuo-motrices, en observant la manière avec laquelle il copie des formes géométriques, retrouve dans une série de figures différentes les quelques-unes qui sont semblables, se débrouille avec les séquences, comme répéter une série de chiffres, compter à rebours à partir de vingt, nommer également à rebours les jours de la semaine. D'autres épreuves vont toucher l'aspect linguistique. Leur importance est de permettre d'apprécier certains aspects instrumentaux reliés aux apprentissages; ceci peut être important, compte tenu de l'incidence plus grande de problèmes d'apprentissage chez ces enfants. Enfin, mentionnons qu'à moins d'une condition médicale particulière, on ne fait aucun test de laboratoire, aucune prise de sang, aucun électro-encéphalogramme ou tomodensitométrie cérébrale (ct-scan), afin d'aider à la confirmation du diagnostic. Ces derniers ne sont tout simplement pas utiles.

Ce temps passé à l'examen physique, à l'examen neurologique et à l'examen neuro-développemental est précieux, parce qu'il permet de communiquer avec l'enfant, d'apprécier son pouvoir de concentration, son ajustement social, son impulsivité, son agitation, et même son anxiété. Mais comme ces examens médicaux se font dans un contexte bien particulier, je suis toujours prudent lorsqu'il s'agit de poser un diagnostic à partir de ces seules observations, surtout si le comportement est bien différent de ce que les parents me rapportent. Dans une situation comme celle-là, je vais alors aller chercher des compléments d'information dans les autres milieux de vie de l'enfant.

L'évaluation psychologique

L'évaluation psychologique n'est pas toujours nécessaire, mais elle peut très souvent être utile, surtout si l'on soupçonne une lenteur intellectuelle, des troubles d'apprentissage ou des problèmes émotifs. Chez l'enfant d'âge scolaire, cet examen comprend habituellement une évaluation intellectuelle formelle, qui va permettre de déterminer le niveau de fonctionnement intellectuel de l'enfant comparativement à la moyenne des enfants de son âge. Des variations dans les différents tests de l'examen suggèrent habituellement qu'il y a des problèmes d'apprentissage. Par exemple, dans les épreuves qui font appel aux ressources non verbales, un enfant peut être plus fort ou être dans la moyenne, alors qu'il présente des faiblesses dans les tests qui font appel aux ressources verbales. L'évaluation psychologique peut aussi comprendre une évaluation affective, par laquelle on tente de discerner la part des émotions dans les difficultés de l'enfant. Elle peut observer comment il se perçoit, comment il perçoit aussi sa famille et son environnement, quelles sont les forces et les faiblesses de sa personnalité. Elle peut également regarder de plus près son comportement, voir quelles sont ses stratégies devant les difficultés, dans quelle mesure il collabore avec les autres, s'il est impulsif ou anxieux.

Les parents sont parfois réticents face à l'évaluation psychologique; certains y voient un message implicite de «problèmes psychologiques», d'autres ont des réserves parce qu'ils ont peur qu'une étiquette comme celle de déficience soit accolée à leur enfant. Mon rôle est alors de re-situer l'examen dans le contexte des difficultés de l'enfant, en mentionnant à quel point nous avons besoin de cet éclairage, afin de mieux comprendre les problèmes de l'enfant, et ainsi, de mieux adapter l'aide que nous voulons lui apporter.

L'évaluation orthopédagogique

Lors de l'examen médical ou de l'évaluation psychologique, certains résultats peuvent indiquer des difficultés au niveau des apprentissages académiques précis tels que la lecture, l'écriture ou les mathématiques. Nous parlons alors de troubles spécifiques d'apprentissage. Si une évaluation orthopédagogique n'a pas encore été faite en milieu scolaire, ce type d'évaluation pourra alors être bienvenu. Le psychologue et le médecin peuvent confirmer la présence de difficultés d'ordre neurologique, mais l'orthopédagogue demeure la personne la mieux placée afin de déterminer les particularités, la sévérité des difficultés, et les approches pédagogiques nécessaires afin d'aider l'enfant à progresser académiquement.

Jusqu'ici, nous avons pu constater que l'évaluation n'est pas standardisée. Nous avons vu qu'elle peut être simple, mais également complexe selon la situation. En somme, elle doit toujours être adaptée aux circonstances et aux besoins individuels de l'enfant, et je ne pense pas qu'il existe de modèle fixe d'évaluation. Toutefois, dans les situations où elle comprend la participation de plusieurs professionnels, il faudra s'assurer que les parents ne se perdent pas dans un dédale d'examens, où ils auraient peut-être parfois l'impression de recommencer sans cesse, sans trop vraiment savoir où cela doit les mener.

Le diagnostic: critères et pronostic

À cette étape-ci, nous exposerons les critères sur lesquels nous pouvons nous baser pour poser un diagnostic. Nous aborderons en même temps les critères de pronostics et les critères de sévérité. Puis, nous dirons quelques mots au sujet de l'entité appelée déficit d'attention sans hyperactivité. Finalement, nous présenterons des situations d'enfants qui ont des difficultés d'attention, d'agitation et d'impulsivité, mais qui ne sont pas des cas de déficit d'attention-hyperactivité, malgré l'impression qu'ils peuvent en donner.

Les critères officiels

L'Association américaine de psychiatrie dispose d'un manuel, le DSM (Diagnostic Stastistical Manual) qui précise les critères essentiels à l'établissement de diagnostics en santé mentale. Dans la section réservée aux problèmes chez l'enfant, dans sa troisième édition révisée en 1987, on retrouve les critères diagnostiques du problème suivant: hyperactivité avec déficit d'attention. Compte tenu de l'évolution de cette entité au cours des trente dernières années, nous observons que les critères ont passablement changé d'une édition à l'autre, ce qui illustre bien d'ailleurs toute la complexité de l'entité, et les difficultés que l'on rencontre à la cerner.

Toutefois, si nous nous référons à la dernière version, voici les critères (traduction officielle) qui permettent de poser un diagnostic de déficit d'attention-hyperactivité, selon les normes de l'association. Pour confirmer un diagnostic, on se doit d'obtenir 8 critères sur 14; la perturbation doit être présente depuis au moins 6 mois, et avoir été observée chez l'enfant avant l'âge de 7 ans.

1. Agite souvent ses mains et ses pieds ou se tortille sur sa chaise (chez les adolescents, ce signe peut se limiter à un sentiment subjectif d'agitation);

2. A du mal à rester assis quand on le lui demande;

3. Est facilement distrait par des stimuli externes;

4. A du mal à attendre son tour dans les jeux ou les situations de groupe;

5. Se précipite souvent pour répondre aux questions sans attendre qu'on ait terminé de les poser;

6. A du mal à se conformer aux directives venant d'autrui, non pas à cause d'un comportement antagoniste ou d'un manque de compréhension, mais parce qu'il ne sait pas trop comment s'y prendre. Par exemple, ne finit pas ses corvées;

7. A du mal à garder une attention soutenue au travail ou dans les jeux;

8. Passe souvent d'une activité inachevée à une autre;

9. A du mal à jouer en silence;

10. Parle trop souvent;

11. Interrompt souvent autrui, ou impose sa présence. Fait, par exemple, irruption dans les jeux d'autres enfants,

12. A souvent l'air de ne pas écouter ce qu'on lui dit;

13. Perd souvent des objets nécessaires pour son travail et ses activités, à l'école comme à la maison (jouets, crayons, livres, devoirs);

14. Se lance souvent dans des activités physiques dangereuses sans tenir compte des conséquences possibles, non par amour du risque, mais parce qu'il n'en réalise pas toute la portée. Par exemple, traverser la rue sans regarder.

On doit aussi ajouter que:

– Ces critères sont ici placés par ordre décroissant d'importance, ce qui permet, dans la détermination du diagnostic, de distinguer ceux qui sont les plus significatifs, et ceux qui le sont un peu moins.

Pour les milieux non spécialisés, il va de soi qu'il n'est pas toujours facile de trancher. Par exemple, «facilement distrait» n'a sûrement pas la même connotation pour un enseignant très strict, que pour un autre plus tolérant, ou lui-même un peu rêveur. De plus, il semble qu'il soit plus facile de poser un diagnostic pour les cas sévères que pour les situations en apparence moins sérieuses. Même si les critères que nous venons de mentionner peuvent être très utiles, il faut bien se dire qu'en dehors d'un contexte de recherche, le diagnostic n'est habituellement pas posé à partir d'un nombre spécifique de critères, mais à partir de l'expérience du clinicien qui tient compte de l'ensemble de toute l'évaluation.

Les critères de sévérité

Le problème léger: on y retrouve les critères mentionnés. De façon globale, on peut dire que les difficultés de l'enfant occasionnent peu de problème à l'école, au niveau de son fonctionnement social, ainsi qu'à la maison. C'est un enfant avec qui l'on doit beaucoup investir, mais qui finit tout de même par bien s'en sortir.

Le problème modéré: les difficultés sont très présentes. La vie normale n'est possible ni pour la famille ni pour l'enfant lui-même. Toutefois, avec les adaptations appropriées, on en arrive à bien se débrouiller. Il y a des périodes où ça va mieux, d'autres où c'est plus difficile. Philippe était à notre avis un enfant dont la sévérité des problèmes se situait entre modéré et sévère.

Le problème sévère: va plus loin que les critères définis. La symptomatologie est sévère, et les difficultés sont dans tous les milieux: la maison, l'école, les loisirs. Le problème de socialisation est important, et tous les intervenants rencontrent des situations difficiles sur une base quotidienne. Les cas sévères sont inévitablement «drainants» pour les parents qui sont souvent épuisés. Le vécu parental s'apparente alors au vécu de tout parent avec un enfant vivant avec un handicap sévère.

Critères de pronostic

Des études ont exploré les facteurs de pronostic, c'est-à-dire quels sont les indicateurs d'une évolution favorable, et quels sont ceux d'une évolution défavorable. À ce stade-ci des connaissances, il semble que trois principaux facteurs ressortent.

Le premier facteur se trouve à être les capacités intellectuelles de l'enfant. Il apparaît en effet que plus l'enfant est d'une intelligence supérieure, meilleures sont ses chances de composer avec les difficultés de l'entité. Par contre, des ressources intellectuelles en dessous de la moyenne sont habituellement la source de plus grande difficultés.

Le second facteur est la présence ou non d'agressivité et de problèmes de conduite. Lorsque nous avons abordé cet aspect au chapitre précédent, nous avons mentionné que la présence simultanée d'un déficit d'attention-hyperactivité et d'une agressivité faisait en sorte que les difficultés s'amplifiaient. Dans une telle situation, on peut en effet voir poindre à l'horizon d'importants problèmes, tels que l'inadaptation sévère, et même la délinquance.

Le troisième facteur est la mise en place d'interventions et d'approches qui tiennent compte de l'enfant et de son environnement social. La présence d'une approche globale soutenue semblerait, chez certains, faire la différence. C'est peut-être qu'elle aide l'enfant à prendre conscience de sa différence, et à reconnaître que son entourage est prêt à composer avec ce qu'il est vraiment.

Le déficit d'attention sans hyperactivité

En 1980, l'Association psychiatrique américaine ajoutait une sous-catégorie à sa classification: le déficit d'attention sans hyperactivité. Par la suite, elle s'est rendu compte que le problème n'était peut-être pas le même, et dans sa version révisée de 1987, cette sous-catégorie a été retirée. Il semble que dans ces situations précises, nous sommes en présence d'enfants plutôt perdus, dans les nuages, qui sont souvent confus dans leurs pensées, qui apparaissent apathiques, peu motivés et facilement anxieux. Ils sont également souvent nonchalants et lents dans leurs déplacements, n'ont pas de problèmes d'impulsivité et ne sont pas intrusifs. Ils peuvent attendre la gratification promise, et dans leurs relations avec les pairs, ils ne sont pas rejetés, mais apparemment tout simplement oubliés. Il est à noter que nous retrouvons dans ce groupe une incidence très élevée de troubles d'apprentissage. En général ces enfants ne répondront pas bien à une médication pharmaco-stimulante, mais certains pourront s'améliorer avec une faible dose. Il semble que leurs problèmes soient d'abord leur difficulté de concentration sur un point précis, ainsi qu'une lenteur au niveau du processus de la pensée.

Des situations qui se rapprochent du déficit d'attention-hyperactivité, mais qui n'en sont pas

Nicolas: un problème de lenteur

Agé de neuf ans, Nicolas est référé pour des difficultés progressives d'apprentissage et un problème d'attention. Il est maintenant en deuxième année, mais il semble qu'il ne sera pas prêt pour sa troisième. Il présente un léger retard de développement global, socialise bien, est décrit un peu comme casse-cou, mais en somme, rien d'exagéré. Enfant unique, il a peut-être été un peu sur-protégé, d'autant plus qu'il avait davantage besoin d'aide en raison de son retard de développement et de son manque d'autonomie. Les milieux de garderie qu'il a fréquentés à partir de trois ans l'ont grandement aidé à rattraper son retard, de sorte qu'une fois à la maternelle, il a relativement bien fonctionné. Les parents ont hésité entre la classe de maturation et la première année régulière, mais ils ont finalement opté pour la première année. Toutefois, malgré beaucoup d'aide à la maison au niveau de ses devoirs, il a dû la reprendre, et en deuxième année, ses difficultés sont devenues de plus en plus importantes. Il est présentement en attente d'une évaluation psychologique à l'école, et l'enseignant parle de problèmes de mémoire. La période des vacances de Noël a été catastrophique pour lui, car il a tout oublié de ce qu'il avait appris en novembre et décembre. Facilement distrait, il devient rapidement inattentif, mais par contre, il n'a aucune difficulté de socialisation. Déficit d'attention sans hyperactivité? Non. Nicolas est un enfant d'intelligence lente , ce que l'évaluation psychologique va d'ailleurs confirmer. Il a besoin de plus de temps que les autres pour apprendre, mais avec beaucoup de répétition, il finit par s'en sortir. Comme ses notions ne sont pas toujours bien intégrées, il les oublie souvent, d'où l'impression qu'il a des problèmes de mémoire. Ainsi, s'il a tout oublié de ce qu'il avait appris avant les vacances de Noël, c'est parce qu'il n'avait pas encore complètement assimilé les notions qu'on lui avait enseignées. C'est vrai qu'il est distrait, mais c'est souvent parce qu'il n'est pas rendu au niveau des explications qu'on lui donne en classe. De plus, il ne présente pas de problèmes d'apprentissage spécifiques. Le danger serait d'en faire ici un problème d'attention. Les parents y souscriraient facilement sans doute, mais cela ne ferait que déplacer le véritable problème, et empêcher la mise en place d'une solution adaptée, c'est-à-dire la diminution des pressions académiques.

Nathalie: un problème d'anxiété

Agée de neuf ans, Nathalie est une fillette de troisième année. Elle est référée pour un problème d'attention et d'agitation. Sa première année s'est bien passée, elle a eu un peu de difficulté en deuxième, et le second bulletin de sa troisième année indique qu'elle ne sera pas prête pour la quatrième, et ce malgré le support en orthopédagogie qu'elle reçoit présentement. La note de l'orthopédagogue ne révèle pas de problèmes spécifiques d'apprentissage, mais de sérieux problèmes d'attention. «Elle est souvent dans la lune, distraite, ailleurs. Son attention est peu soutenue, et elle se laisse déranger de plus en plus». Encore une fois, l'examen n'indique pas de déficit d'attention-hyperactivité. Après une étude du milieu de l'enfant, nous observons qu'elle vit dans une situation conjugale qui s'est progressivement détériorée au cours des deux dernières années. Nathalie n'a pas de problèmes d'attention, elle est tout simplement inquiète, anxieuse, intérieurement non disponible aux apprentissages académiques.

Roch et Patrick: des problèmes d'inadaptation

Agé de neuf ans, Roch est référé par les enseignants d'une classe spéciale de mésadaptés socio-affectifs. Il est agité, agressif et inattentif. Il fonctionne pourtant bien dans une relation de un à un, mais le milieu scolaire mentionne le peu de collaboration de la part de la famille qu'il identifie comme marginale, et qui ne veut pas du tout s'impliquer au niveau de l'école. Les enseignants sont à bout de souffle et demandent une consultation pour savoir si la médication ne serait pas une solution. Après discussion avec un enseignant, je constate que Roch est très habile à planifier des manoeuvres de diversions, incomparable pour se sortir du pétrin, toujours prêt à accuser les autres à sa place. Il réussit bien dans les sports d'équipe, mais il prend énormément de place et bouscule tout le monde. L'examen ne révèle aucun problème d'attention comme tel, et il collabore bien aux épreuves de motricité globale. Rock ne présente pas de déficit d'attention-hyperactivité, il est tout simplement un garçon défiant qui a des problèmes de relations inter-personnelles.

À trois ans, Patrick est référé pour une hyperactivité sévère. Il s'agit d'un ex grand prématuré, qui a été branché à un respirateur pendant ses trois premiers mois. À six mois, il est retourné à la maison avec un moniteur qui surveillait sa respiration, car il était alors à risques de pauses respiratoires prolongées durant son sommeil. À deux ans, il est référé à un programme de développement de l'enfant pour des difficultés légères de développement. Son évaluation est difficile, compte tenu d'une extrême agitation. Il touche et renverse tout, lance même parfois des objets dans le bureau. Du côté médical, on a de bonnes raisons de croire à un diagnostic de déficit d'attention-hyperactivité. On le suit de façon régulière, et lors d'une évaluation subséquente à l'âge de quatre ans, il monte sur la chaise et la table. Lorsque sa mère lui demande de redescendre, il refuse. Quand elle le prend et le met par terre, il se couche sur le plancher, se frappe la tête, puis reste quelques minutes immobile. Pour moi, c'est déjà là une indication importante; un enfant hyperactif ne resterait pas plusieurs minutes par terre dans l'attente d'une réaction de sa mère. Comme le problème est suffisamment sévère, je décide toutefois de tenter, avec la médication, une observation sous forme contrôlée. (Certains jours avec médication, d'autres sans médication aucune.) À la fin de la période d'étude, je constate finalement que les jours avec médication n'ont apporté aucune amélioration. Je décide donc d'orienter par la suite mes interventions du côté de la dynamique familiale, et très rapidement, on note une amélioration importante du côté de l'agitation.

L'importante étape que représente le diagnostic est en quelque sorte un jugement clinique qui s'appuiera sur l'ensemble de tous les éléments de l'évaluation. Il peut être facile à poser lorsque les caractéristiques sont claires. C'est le cas des enfants avec un syndrome «pur», où le problème de base se retrouve sans aucune condition associée. Mais ceci n'est pas toujours le cas, et la situation n'est pas toujours aussi évidente, surtout lorsque nous sommes en présence de conditions associées, tels les troubles d'apprentissage et les problèmes de comportement.

L'évaluation, comme le diagnostic, se doivent d'éclairer les parents sur la présence ou l'absence d'un lien entre les difficultés de leur enfant et le déficit d'attention-hyperactivité. Cette étape doit également leur fournir une meilleure interprétation de l'entité, sa sévérité et son pronostic, et de là, une meilleure compréhension de l'enfant lui-même. De plus, l'évaluation a l'énorme avantage de permettre à l'enfant de mieux comprendre ses difficultés, et de savoir un peu pourquoi il agit comme il le fait. Enfin, l'évaluation et le diagnostic doivent être suffisamment complets et cohérents, pour que des approches réalistes soient proposées et mises en place, afin d'aider l'enfant à résoudre ses difficultés dans le vécu du quotidien.

CHAPITRE
7

CE QUE VIT LA FAMILLE

Suzanne Lavigueur et Claude Desjardins

Le déficit d'attention-hyperactivité, de par sa nature et son impact direct sur la famille et son entourage, crée une situation qui s'inscrit au coeur du quotidien. En effet, chacun des membres de la famille est profondément touché et interpellé par la présence de cet enfant spécial qui suscite une dynamique toute particulière, une interaction parfois pénible, et souvent irritante. Nous verrons dans ce chapitre comment se dessine cette réalité: celle des parents d'abord, qui veulent avant tout l'épanouissement de leurs enfants, puis celle des frères et des soeurs qui désirent vivre dans une famille harmonieuse. Finalement, nous réfléchirons sur ce qu'est appelé à vivre l'ensemble de cette famille, dans son interaction avec l'entourage, et ce qu'elle serait en droit d'attendre au niveau de la compréhension et du support.

Un impact insidieux sur la famille

Ce n'est que progressivement que la famille est appelée à s'ajuster à la difficile réalité d'un enfant qui demande sans cesse plus, qui a un seuil moindre à la frustration, qui veut être satisfait immédiatement, et avec qui la communication n'est malheureusement pas toujours très gratifiante. À moins qu'il ne s'agisse d'un deuxième enfant avec un tel problème, ou à moins que les parents ne soient déjà sensibilisés à cette entité à partir d'une expérience semblable dans leur propre famille, les choses sont vraiment loin d'être évidentes au point de départ. L'exigeante réalité ne se confirme que lorsque les manifestations du déficit d'attention, de l'agitation et de l'impulsivité deviennent telles, qu'on doive bien se rendre à l'évidence: cet enfant présente un comportement clairement en dehors de la norme. De plus, les parents sont également confrontés à la réalité d'un enfant qui répond mal aux approches éducatives traditionnelles, c'est-à-dire aux moyens habituels utilisés par la plupart des parents, pour réussir à faire de leur garçon et de leur fille des enfants qui sont «agréables» et «relativement bien élevés».

Avec le temps, l'interaction d'un tel enfant avec ses parents, ses frères et ses soeurs, prend une coloration différente de celle qu'on retrouve au sein d'une famille «normale». Très graduellement, sans que personne n'y puisse rien, et sans que l'on puisse blâmer qui que ce soit, les échanges quotidiens deviennent nettement plus négatifs, et l'interaction sociale se transforme de plus en plus en une source constante de stress pour chacun des membres de la famille, y compris pour l'enfant lui-même. Cette tension s'accumule de façon insidieuse, parce qu'elle se fait de façon continue. Selon la sévérité de l'entité, la capacité d'adaptation de chacun, la situation de la famille et les autres sources de stress, la tension éclatera très souvent lorsque l'enfant aura quatre, six, ou huit ans. Elle s'exprimera de façon plus ou moins avouée selon les milieux et les personnes, mais il est indéniable que petit à petit, l'accumulation de fatigue et de frustrations deviendra bien réelle, et qu'elle finira par se retrouver dans toutes les familles qui vivent avec ce type d'enfant.

Tous les membres de la famille sont concernés

Il va de soi que cette tension qui se tisse graduellement au niveau des relations familiales, puisse aggraver les symptômes de l'enfant. On assiste en effet à une sorte de cercle vicieux, où l'attitude impulsive et agitée de l'enfant augmente proportionnellement aux réactions tendues ou négatives des membres de sa famille. De plus, si cette tension vient aiguillonner l'enfant lui-même, elle peut tout aussi bien exacerber les fragilités émotives particulières qui menacent l'équilibre psychologique de tous les autres membres de la famille, qu'ils soient adultes ou enfants.

Lors d'un stress prolongé, chacun de nous a tendance à compenser par une attitude qui lui est propre; certains vont se dévaloriser, s'isoler, ou déprimer, certains deviendront amers ou colériques, certains décideront d'affronter le problème avec tout ce qu'ils ont de ressources au risque de s'épuiser, certains seront plus rigides et auront tendance à contrôler tous les détails de leur environnement; par contre, d'autres auront davantage tendance à s'évader dans la boisson, à prendre des calmants, ou bien à se noyer dans d'innombrables activités à l'extérieur du foyer. Pour le parent, le frère ou la soeur appelés à vivre quotidiennement une relation qui demeure tendue malgré tous les efforts et la bonne volonté que chacun veut bien y mettre, l'équilibre émotif personnel, de même que la simple joie de vivre au sein de la famille, restent beaucoup plus fragiles, et demeurent très facilement menacés. On imagine combien la réalité familiale doit être encore plus lourde à vivre, lorsque la famille compte deux de ses membres qui présentent des symptômes de déficit d'attention-hyperactivité, que ce soit l'un des parents ou un deuxième frère ou soeur.

Le défi particulier des parents

Nous avons déjà mentionné que l'enfant avec un déficit d'attention-hyperactivité répondait beaucoup moins aux approches éducatives habituelles. C'est d'ailleurs là une des sources importantes de frustration, d'inquiétude, voire de dévalorisation pour les parents, dans le rôle qui leur est donné d'être bon éducateur et de «bien élever» leur enfant. C'est que le manque d'attention et l'impulsivité interfèrent directement sur les attentes usuelles et normales des parents lorsqu'ils demandent à leur enfant d'accomplir une tâche. De plus, à cause du manque d'inhibition déjà mentionné, ces enfants ont tendance à se laisser distraire et se laisser prendre par des activités parallèles qui leur semblent plus gratifiantes. Ce comportement va susciter des directives plus insistantes de la part des parents, et finalement une manifestation de colère si la tâche ne se fait toujours pas. Dans les situations de jeux, l'interaction est évidemment plus facile, mais dès qu'il y a des normes à respecter, comme par exemple attendre son tour, alors là, ça ne va plus! Même lorsque les situations demandent moins de contrôle, le fait que ces enfants soient naturellement plus actifs, agités et bruyants, peut être perçu comme envahissant et dérangeant par les autres.

Les études qui se sont penchées sur les interactions mère-enfant ont observé que les mères de ces enfants avaient tendance à être plus directives et négatives, et qu'elles répondaient moins aux comportements et aux messages positifs ou neutres de l'enfant: cette tendance était remarquée surtout avec les jeunes enfants (5-6 ans), alors qu'elle s'atténuait un peu plus tard vers l'âge de 8-9 ans. On notait par contre que, dans les activités libres ou de jeux, l'interaction se rapprochait plus de la normale. Ces études soulèvent donc les questions suivantes: «Serait-ce la façon d'agir des parents avec l'enfant qui est en cause?» «Certains parents ne seraient-ils pas responsables du comportement de l'enfant?» Pour les mères qui en ont peut-être déjà douté, la réponse à ces questions est définitivement non. C'est plutôt la façon particulière d'agir de l'enfant qui suscite ce type de réactions chez les parents, et non l'inverse. D'autres études ont en effet observé que lorsque les symptômes de l'enfant étaient atténués grâce au Ritalin, ces mêmes parents avaient des attitudes qui se comparaient à celles des parents d'enfants normaux. De plus, il a été démontré qu'avec d'autres adultes, que ce soit l'enseignant, le surveillant du dîner à l'école, le voisin, le moniteur à la piscine, ou le chef scout, cet enfant suscitait exactement le même genre de réactions: tous les adultes impliqués avec lui deviennent plus directifs et/ou plus négatifs.

Le fait que le parent réagisse différemment quand l'enfant est plus calme sous l'effet du Ritalin, et le fait également que d'autres adultes aient tendance à réagir comme les parents eux-mêmes le font, suggèrent que ces enfants n'ont pas de tels comportements parce qu'ils ont été «élevés» par des parents qui étaient trop tolérants ou trop rigides, mais ils sous-entendent plutôt que ce sont les comportements de ces enfants qui ont suscité chez leurs parents des réactions négatives. Cette nette distinction entre le rôle joué par le comportement de l'enfant sur celui du parent, versus celui du parent sur l'enfant, n'est malheureusement pas évidente aux yeux des personnes qui entourent la famille, que ce soit le professeur, le voisin ou une tante. Ces nuances sont pourtant bien importantes à reconnaître, afin d'éviter que le parent soit l'objet de jugements plus ou moins explicites à son égard, sur sa façon inadéquate d'éduquer cet enfant trop «tannant» ou trop «gâté». Car il ne faut pas oublier qu'assumer un rôle éducatif valable auprès d'un enfant avec un déficit d'attention-hyperactivité, représente en soi un défi suffisamment exigeant, sans que les parents deviennent en plus la cible de jugements non fondés de la part de leur entourage.

Une escalade négative de la discipline

Le rôle prépondérant que joue l'enfant dans la réaction négative du parent n'exclut cependant pas la possibilité qu'à la longue, certains adultes puissent adopter des façons de faire qui vont au-delà des besoins réels de l'enfant, en faisant preuve avec eux de contrôle ou de tolérance démesurés. Car il faut bien reconnaître qu'avec le temps, le processus éducatif qui évolue en accumulant échec sur échec, se dirige presqu'infailliblement vers une escalade négative, tant pour le parent que pour l'enfant lui-même. Si au début les parents expérimentent différentes approches, ils épuisent progressivement toute la gamme des stratégies courantes, et certains essayeront de contrôler le comportement perturbateur de leur enfant de manière plus rigide. Initialement, ils peuvent faire semblant d'ignorer ces comportements, en pensant que l'enfant agit ainsi pour attirer l'attention, mais bientôt ils se rendent compte que cette attitude d'ignorance intentionnelle ne change rien. Alors, comme l'enfant continue de ne pas les écouter et qu'il fait ce que bon lui semble, les parents décident de devenir plus directifs, ils haussent le ton, et précisent plus fermement à l'enfant ce qui désormais ne sera plus toléré. Ainsi, ce n'est que progressivement qu'ils deviennent de plus en plus restrictifs et qu'ils finissent par utiliser de plus en plus les: «Arrête de…», «Je ne veux plus te voir faire ça!», ou «Il est temps que tu apprennes…» Même si ça ne donne que très peu de résultat, ils punissent davantage; la menace des «Va dans ta chambre» devient plus fréquente, parfois presque quotidienne. Souvent ils finissent aussi par faire les choses à la place de l'enfant, puisque c'est en somme moins exigeant et moins irritant que de crier, ou de répéter sans cesse la même chose.

Pour ce qui est de la discipline, la réaction de certains parents se polarise entre deux attitudes opposées: la tentation de laisser faire, ou celle de contrôler davantage. Dans un cas comme dans l'autre, les parents nous parlent tous du profond sentiment d'échec qui se développe au fil des années, et nous expliquent qu'ils ont en quelque sorte «décroché», parce qu'ils se sont retrouvés épuisés et déçus dans leur impuissance à composer avec l'enfant. Ils se rendent souvent jusqu'à cette étape sans même avoir osé demander l'aide de leur entourage ou de professionnels; au fond, on doit réaliser que chacun, et le parent le premier, tient pour acquis qu'un «parent normal» dispose tout naturellement des habiletés nécessaires afin de «bien élever» un enfant qui a d'ailleurs toutes les apparences extérieures d'un enfant «normal». Mais la réalité nous amènera à constater que pour l'enfant dont on parle ici, les parents ont souvent besoin, en plus de leurs habiletés éducatives, d'une expertise professionnelle et du solide soutien de la part de leur entourage.

Certaines différences possibles entre le vécu de la mère et celui du père

Certaines études qui ont systématiquement comparé ce que vivent les mères et ce que vivent les pères, ont pu identifier que la situation était souvent encore plus difficile à vivre pour la mère que le père: non seulement la mère est-elle appelée à vivre plus intensément une relation conflictuelle avec l'enfant, mais alors qu'elle aurait grandement besoin de support de la part de son conjoint, elle devient parfois au contraire la cible de ses jugements et de ses blâmes.

En plaçant parents et enfants en situation de jeux et de tâches spécifiques à accomplir, certaines études ont noté que plus la tâche demandée devenait précise et exigeante, plus les parents devenaient directifs et négatifs, et plus également l'enfant devenait lui-même négatif et avait tendance à s'éloigner de ce qu'il avait à faire. De plus, on a remarqué que les pères avaient en général moins de difficulté que les mères, les enfants étaient moins négatifs avec eux et se conformaient davantage à leurs directives. Notre expérience clinique confirme ces observations: il arrive souvent , en effet, que les pères disent avoir moins de difficulté avec l'enfant, au point qu'ils vont nier et ignorer beaucoup plus longtemps le problème de leur fils ou de leur fille.

Cette différence pourrait s'expliquer, entre autres, à partir de deux éléments reliés à des différences culturelles entre les rôles du père et de la mère. Premièrement, la personne qui vit le plus d'interactions contraignantes avec l'enfant, devient celle qui est appelée à avoir le plus de difficultés ou de conflits avec lui; or dans notre société, la mère demeure, selon la règle générale, celle qui assume davantage toutes les tâches reliées au quotidien et ce, indépendamment du fait qu'elle travaille à l'extérieur. Deuxièmement, les mères ont une attitude plus émotive que les pères, et elles ont également tendance à vouloir expliquer le pourquoi de ce qu'elles demandent à l'enfant; les pères, quant à eux, ont moins besoin d'expliquer, et également moins tendance à investir au plan émotif. De plus, ils passeraient plus facilement à l'action. Quand on sait combien l'enfant avec un déficit d'attention-hyperactivité a de la difficulté à se contrôler et à répondre à ce qu'on lui demande, on comprend combien les mères sont défavorisées dans leur relation avec celui-ci, d'une part à cause de la grande quantité d'interventions éducatives plus ou moins contraignantes qui leur revient quotidiennement, et d'autre part, à cause de leur style plus émotif et explicatif auprès de l'enfant. Les pères, qui interviennent moins souvent et qui ont par ailleurs plus tendance à passer à l'action et à punir au besoin, sont en conséquence plus facilement écoutés par ce dernier.

Il existe donc souvent un conflit dans la perception de l'enfant qu'ont le père et la mère. Ces différences, qui sont probablement plus liées à nos contextes culturels, deviennent souvent une source de conflits entre les deux parents. Le père, surtout s'il est lui-même ou qu'il a déjà présenté un déficit d'attention-hyperactivité (rappelons que 15 % des pères contre 5 % des mères de ces enfants le sont), aura beaucoup moins tendance que la mère à reconnaître le problème, surtout en bas âge; il percevra son enfant comme un peu turbulent, et en toute bonne foi, il affirmera que le vrai problème est du côté de la mère, que c'est elle qui n'a simplement pas le tour de s'y prendre, qui n'est pas capable de le discipliner, qui n'aurait qu'à être plus ferme avec lui, à agir plus rapidement et à moins discuter. Lui-même avouera n'avoir relativement que peu de difficultés avec l'enfant... Pour ce père, la réalité éclatera habituellement à l'école, le jour où on lui annoncera que son enfant a définitivement un problème important, et que par exemple, il ne peut passer de la maternelle à la première année régulière. Cette fois, ce n'est plus seulement la mère, c'est aussi l'école qui vient lui confirmer que son enfant vit des difficultés plus grandes que la majorité des autres enfants de son âge.

Ainsi, compte tenu du stress que vivent bon nombre de mères étant donné leur quotidien avec un enfant avec un déficit d'attention-hyperactivité, on comprend facilement que les conséquences peuvent être lourdes pour elles; c'est en effet ce qu'ont souligné certaines recherches portant sur la réalité de ces mères. Ces études ont fait ressortir que surtout chez les mères des enfants en bas âge (c'est-à-dire de 3 à 6 ans, plutôt que de 7 à 10 ans), on retrouvait une faible estime de soi quant à leurs capacités parentales, un niveau plus élevé que chez les mères d'enfants normaux de sentiments dépressifs, de dévalorisation et d'isolement social. On a de plus noté que ces conséquences négatives étaient en relation directe avec la sévérité de la perturbation de l'enfant, du moins telle que perçue par la mère.

On a également observé qu'en plus de porter atteinte à la santé psychologique des mères, le risque de séparation et de divorce était trois fois plus élevé dans une famille ayant un enfant avec un déficit d'attention-hyperactivité que dans une famille normale. Plus haut, nous avons souligné comment les différences vécues par chacun des parents dans leur interaction avec l'enfant étaient source de désaccord; ces tensions maritales peuvent également en partie être dues au sentiment de dépression et de dévalorisation que vivent certaines des mères, et ce à des degrés divers. Il est évident que des tensions quotidiennes vécues au sein de la famille, ainsi que des relations plus difficiles ou plus réduites avec l'entourage, peuvent concourir à menacer à la fois l'équilibre personnel de la mère, celui du couple, et finalement de la famille toute entière.

Un défi particulier pour les frères et les soeurs

Comme nous l'ont confié certains enfants, avoir un frère ou une soeur qui a un déficit d'attention-hyperactivité n'est pas une situation toujours facile. À partir de ce que nous avons évoqué plus haut sur le climat familial, on peut facilement comprendre qu'ils envient parfois le calme et la sérénité de la vie de famille de leurs meilleurs amis... Quotidiennement piégés dans des échanges stressants et souvent agressifs, ils partagent parfois une discipline familiale devenue rigide, et sont peut-être quelque peu privés de l'attention des parents qui sont fort préoccupés par l'enfant qui a de plus grands problèmes. Nous évoquerons donc brièvement les différentes facettes des frustrations possibles que peuvent vivre ces frères ou ces soeurs.

Le genre de rapports souvent tendus que suscite l'enfant avec un déficit d'attention-hyperactivité auprès des autres enfants, tant à l'école que dans le voisinage, n'est en général ni mieux ni pire que le type d'échanges qu'il vit avec ses frères et soeurs. Mais il y a une grande différence entre ces deux situations: alors que le voisin peut toujours dire «Je ne veux plus jouer avec toi» ou «Je ne veux pas de toi dans mon équipe», le frère ou la soeur, lui, n'a pas ce choix: c'est à tous les jours qu'il doit vivre avec lui. Le comportement instable ou impulsif de l'enfant fait alors que le frère et la soeur deviennent souvent fatigués, sinon exaspérés par cette présence qui est une source de tension entre eux, et qui parfois devient également une source de tension avec leurs parents. Ils peuvent même arriver à se percevoir eux-mêmes comme responsables de cette tension, surtout lorsqu'ils entendent les parents leur dire: «Tu es le plus vieux, tu devrais être plus compréhensif», ou bien «Vous ne pourriez pas vous entendre un peu?» Notons que lorsqu'une composante d'agressivité vient s'ajouter aux difficultés de l'enfant dont nous parlons, les frères et les soeurs auront également tendance à exprimer leur agressivité, de sorte qu'on se retrouve très rapidement dans une escalade agression/contre-agression, qui ne fait qu'augmenter ou exacerber la composante agressive déjà présente chez l'enfant.

À la maison, les frères et soeurs subissent également les contre-coups de certaines réglementations du partage des tâches, ou du choix d'activités familiales, qui seront souvent dictés par la réalité de l'enfant avec un déficit d'attention-hyperactivité. En effet, plusieurs mesures éducatives ne sont pas établies en fonction de leurs besoins à eux, mais sont devenues nécessaires justement à cause de la présence de l'enfant qui a un déficit d'attention-hyperactivité. Au nom d'une certaine justice, et pour ne pas subir le reproche de l'enfant dans le style: «Mais elle a le droit, pourquoi pas moi? C'est pas juste!», les parents ont souvent tendance à établir un poids, une mesure, surtout si les écarts d'âge entre les enfants sont faibles. Dans une autre perspective, certains développeront un ressentiment à l'égard du fait qu'ils ont plus de tâches domestiques à faire, comparativement à leur frère hyperactif.

De plus, comme ils n'ont pas ou qu'ils ont moins de problèmes, les frères et les soeurs passent plus inaperçus, comparé à l'enfant dont nous parlons. Ce dernier draine en effet une grande partie de l'énergie des parents. Aussi les frères et les soeurs ont-ils parfois l'impression qu'ils sont un peu mis de côté, et qu'ils n'ont peut-être pas leur juste part de l'attention parentale. Nous savons que ce type de frustration, relié à l'accaparement des parents, se retrouve également dans les autres familles qui ont un enfant spécial, mais les difficultés reliées spécifiquement aux interactions et à la discipline sont plus prononcées lorsque nous sommes en présence d'un enfant avec un déficit d'attention-hyperactivité. Ajoutons à cela le fait que les activités avec des amis peuvent également être modifiées, si l'enfant hyperactif est jugé comme trop dérangeant; ainsi, son frère ou sa soeur peuvent s'entendre répondre par leurs amis: «D'accord, je vais jouer avec toi, mais ton frère, lui, on ne veut pas qu'il soit là.»

Ainsi, en raison de l'importance de l'impact du déficit d'attention-hyperactivité sur la vie quotidienne des frères et des soeurs, il est très important de toujours tenir compte de ces derniers, et de les impliquer autant que possible dans toutes les modalités d'informations et d'aide dont la famille pourra bénéficier (voir le chapitre 9). De plus, nous pensons qu'il serait bon pour eux d'avoir droit à des relations privilégiées et idéalement continues, par exemple avec un oncle, une tante, un grand-parent, où ils vivraient alors eux aussi une relation spéciale, sans aucune interférence avec la réalité de leur frère ou soeur.

Interactions avec l'entourage

De la même manière qu'on parle de l'attitude de la société à l'égard des minorités visibles, on pourrait également parler de l'attitude de l'entourage, à l'égard du handicap visible d'un enfant et de sa famille. Certaines recherches ont en effet montré que plus le handicap de l'enfant était visible, c'est-à-dire facilement identifiable par des caractéristiques physiques, comme par exemple un enfant aveugle ou trisomique par rapport à un enfant autistique, plus celui-ci jouissait d'un préjugé favorable de l'entourage,

rage, et plus facile était l'adaptation des autres membres de sa famille à leur situation de «famille spéciale».

Or un enfant avec un déficit d'attention-hyperactivité ne présente aucune caractéristique physique distinctive. De plus, on a souligné plus haut combien progressive était l'identification du problème par la famille elle-même. Ce qui importe surtout de comprendre ici, en ce qui concerne la réaction de l'entourage vis-à-vis du vécu de l'enfant et de sa famille, c'est que les symptômes qu'il présente sont très facilement confondus comme étant les manifestations d'un enfant «trop tannant», ou encore pire, d'un enfant «mal élevé»... On comprend alors combien l'enfant lui-même, puis ses parents, ses frères et soeurs, peuvent être facilement jugés et devenir l'objet de critiques, et parfois d'une certaine forme d'exclusion, alors qu'au contraire, ils devraient être l'objet d'encouragement et de support de la part de tous. Ajoutons que, même lorsque le diagnostic est finalement posé, cette entité aux bases pourtant très biologiques est si mal connue dans la population en général, que l'entourage va continuer malgré tout à vaguement associer le problème de l'enfant à une certaine mauvaise volonté de sa part, ou à un manque d'habiletés éducatives de la part des parents.

Pourtant, ces mêmes amis, parents, voisins, entourent volontiers de leur support toute famille qui assume avec courage le défi d'avoir un enfant ou un frère aveugle ou trisomique. Pourquoi est-ce si différent lorsqu'il s'agit d'un enfant avec un déficit d'attention-hyperactivité? Je pense qu'on ne dira jamais assez combien le support issu de l'entourage social, est essentiel pour la famille. Il peut très bien prendre plusieurs formes, selon les contextes et les besoins de chacun, allant du support émotif à une aide plus concrète, comme par exemple du répit aux parents en gardant les enfants, se cotiser pour payer un camp de vacances à l'enfant, inviter chez soi le frère ou la soeur pour la fin de semaine, etc. La réalité quotidienne et plusieurs recherches soulignent le rôle très important joué par ces différentes modalités de support afin de maintenir l'équilibre d'une famille. Le support social permet en effet sinon de neutraliser, au moins de diminuer les effets potentiellement négatifs qui sont associés à une situation de stress. Comme pour la pauvreté, le chômage, la maladie, ou le deuil, l'aide apportée dans de telles circonstances donne le sentiment d'être reconnu et soutenu dans ce que l'on vit, par ceux qui comptent vraiment pour nous. Ceci est un élément extrêmement important: le soutien que peut apporter l'entourage dans une telle situation, soit directement à une personne en particulier, ou à la famille entière, n'a de prix que proportionnellement au deuxième souffle qu'elle peut apporter à ceux qui en ont tant besoin.

Or à cause de la façon dont se présentent les symptômes du déficit d'attention-hyperactivité, c'est justement le message inverse que l'enfant et sa famille reçoivent de leur entourage: l'enfant dérange et ne semble faire aucun effort pour «s'aider lui-même», les parents sont parfois perçus comme incompétents, les frères et les soeurs sont plus facilement acceptés par leurs amis «si l'enfant n'est pas autour»... Cette réalité d'isolement avec l'entourage est très difficile à vivre pour la famille. Une étude rapporte d'ailleurs que ces pères et ces mères de famille disent avoir moins de contacts avec leur famille étendue (les grands-parents, les oncles, tantes, cousins, cousines) et de plus, ils jugent que ces contacts leur offrent moins d'appui, lorsque l'on compare leurs témoignages à ceux des familles dites normales. Ces données sont inquiétantes, quand on pense à l'importance du stress quotidien vécu par chacun des membres de la famille lorsqu'il s'y trouve un enfant avec un déficit d'attention-hyperactivité.

Personne ne peut nier que pour tout enfant, sa capacité d'être heureux et l'image qu'il a de lui-même prennent racine dans sa vie quotidienne, au sein de sa propre famille. Pour les parents aussi, une part importante de leurs rêves et de leur valorisation se dessine dans la vie de famille qu'ils contribuent à créer, ainsi que dans ce que deviennent progressivement leurs enfants. Ainsi, lorsqu'ils ont un enfant avec un déficit d'attention-hyperactivité, cette qualité de vie est plus facilement menacée, à la fois à cause des si nombreux échecs rencontrés en route, de même que par les interactions empreintes de tension et d'agressivité entre les parents et les enfants, entre les frères et soeurs, entre la famille et son entourage. Ces tensions semblent reliées à la nature même des symptômes, et peuvent apparaître de façon plus ou moins prononcée selon la sévérité du problème, les ressources des individus et le contexte familial. Il importe de comprendre que ces tensions presque quotidiennes ne reflètent en rien la bonne volonté que chacun y met, pas plus qu'elle ne reflète la compétence éducative des parents. Afin de dépasser le sentiment d'impuissance qui les menace, l'enfant et les membres de sa famille ressentent un intense besoin de compréhension et de support d'abord entre eux au sein de la famille, puis de la part de ceux qui les entourent; ce besoin de compréhension est tout le contraire des manifestations de blâme ou d'exclusion dont ils font parfois l'objet.

CHAPITRE 8

LA MÉDICATION

Dans les deux prochains chapitres nous traiterons des formes d'aide que nous pouvons apporter aux enfants avec un déficit d'attention-hyperactivité. Nous allons commencer, dans le chapitre qui suit, par aborder la complexe question de la médication; puis au chapitre 9, nous examinerons d'autres formes d'aide qui peuvent être apportées à l'enfant, aux parents et à la famille.

La médication demeure une approche souvent utilisée. Elle a reçu une publicité passablement négative il y a quelques années, et soulève encore beaucoup d'anxiété du côté des parents. Lorsqu'ils viennent me consulter, je sens que cette question est souvent celle qui les préoccupe le plus. Certains vont tout de suite prendre les devants et déclarer, avant même que j'aie abordé le sujet: «Pour nous, il n'est pas question de lui donner du Ritalin». Et si d'autres parents sont moins directs, je sens aussi que pour eux la médication est un sujet qui les inquiète et qu'ils veulent vraiment en entendre parler. C'est pour cette raison que j'ai décidé d'y consacrer tout un chapitre.

Précisons que par médication, nous nous référons au méthylphénidate; nous utiliserons le terme de Ritalin, qui est la médication la plus utilisée dans le traitement du déficit d'attention-hyperactivité, et dont c'est le nom commercial sous lequel il est vendu.

Un bref historique

C'est en 1937, dans une institution du Rhodes Island aux États-Unis, qu'un médecin du nom de Charles Bradley fit part des résultats plutôt spectaculaires, observés chez des enfants à qui il avait administré des amphétamines (de la benzédrine). Ces enfants avaient des problèmes à la fois physiques et de comportement. Afin d'aller vérifier s'ils avaient des anomalies au cerveau, on leur avait fait un pneumo-encéphalogramme (Radiographie faite après injection d'air à l'intérieur du cerveau). L'examen occasionnait une baisse de tension artérielle et des maux de tête. Le Dr Bradley leur administra alors de la benzédrine afin de remonter leur tension artérielle, en souhaitant que la normalisation de la pression élimine ainsi les maux de tête. Il observa alors que cette médication améliorait grandement le comportement des enfants. Peu d'études suivirent ces premières observations, et la médication a en quelque sorte été oubliée. Ce n'est que quelques années plus tard qu'elle fut ré-utilisée pour ses effets sur le comportement. En 1957, le méthylphénidate, qui est de la même famille que la benzédrine, était commercialisée au Canada sous le nom de Ritalin.

Caractéristiques et mode d'action

Le méthylphénidate fait partie de la famille des psycho-stimulants. Ces médicaments agissent sur le système nerveux central comme neuro-transmetteurs, c'est-à-dire soit qu'ils bloquent ou qu'ils facilitent la communication entre les cellules nerveuses qui sont sensibles à leur structure chimique. En agissant sur les centres responsables de l'éveil, ils vont par conséquent stimuler et rendre plus alerte. Ils possèdent des propriétés excitantes semblables à celles de la caféine. Le mécanisme d'action du méthylphénidate demeure encore inconnu, mais comme nous l'avons vu au chapitre quatre, il est en train de se préciser. Selon les doses administrées, et la fréquence avec laquelle on l'utilise chez l'enfant avec un déficit d'attention-hyperactivité (effet semblable chez un enfant normal), la prise de cette médication se traduit par une diminution de l'agitation, probablement parce qu'elle régularise l'activité de certains secteurs du cervau. Il est important de préciser que le Ritalin n'est pas un tranquillisant comme les médicaments de la famille des benzodiazépines (Valium, Ativan), mais bien le contraire. C'est un stimulant qui, pour des raisons complexes, agit comme calmant.

La façon de le donner

Le Ritalin, dans sa présentation commune de 10 mg, est un petit comprimé rond, bleu pâle, avec une rayure au centre. Il agit environ pendant 4 heures, et est complètement éliminé du système 12 heures après son ingestion. Assez immédiat, l'effet apparaît entre 20 et 30 minutes après son ingestion; après environ 3 heures et demie, on voit l'effet progressivement diminuer. Les enseignants peuvent d'ailleurs facilement observer ce phénomène. En effet, l'enfant qui a pris son comprimé vers 8 heures le matin, commence à présenter de nouveau des signes d'agitation vers 11 h-11 h 15. C'est que l'effet est déjà en train de se perdre. En raison de cette courte durée d'action, il est important de le donner le matin, 15 à 20 minutes avant la classe. Si le trajet en autobus est trop long, et si cela ne présente pas de problèmes, il est même préférable que la médication soit prise à l'école. Une deuxième dose est donnée avec le repas du midi. Chez certains enfants avec des difficultés sévères où le retour de l'école est pénible, une troisième dose, complète ou réduite, pourra être donnée entre 15 h 30 et 16 h. Mais cela reste une situation exceptionnelle. Il est possible d'observer occasionnellement, vers la fin d'une dose, un effet de rebondissement, c'est-à-dire une remontée de l'agitation, où l'enfant devient alors «pire» que sans médicament.

La dose est théoriquement calculée en fonction du poids, mais à toutes fins utiles, on utilisera la plus petite dose efficace, ce qui correspond à 1/4 ou 1/2 comprimé à la maternelle, 1/2 ou 1 comprimé le matin et le midi pour l'enfant de 1re et 2e année, et à 1 et 1 1/2 comprimé pour la fin du deuxième cycle. La dose reste évidemment très individuelle, et ne doit pas dépasser 60 mg par jour. Elle pourra aussi varier selon les objectifs visés. Les situations où l'on rencontre le plus de difficultés de comportement exigeront des doses plus élevées que les situations où le comportement est bien contrôlé, et que les problèmes sont surtout du côté de l'attention. Pour l'enfant qui a des difficultés importantes pendant le repas du midi, ou pour qui il est impossible de prendre le médicament à l'école, il existe une forme de Ritalin SR à désintégration lente, dont la durée d'action est d'environ 8 heures. Ces comprimés de 20 mg ne sont pas sécables (on ne peut pas les couper), ce qui peut poser des difficultés pour l'enfant à qui nous voudrions prescrire une dose plus faible. La présentation à désintégration lente demeure un deuxième choix; nous la trouvons de façon générale moins efficace, mais elle peut bien fonctionner pour certains enfants.

Ce qu'elle apporte

De nombreuses études ont tenté de clarifier les effets de la médication. En quoi change-t-elle quelque chose, et dans quel secteur exactement? Disons tout d'abord qu'au niveau intellectuel, on a noté de nombreuses améliorations dans les types d'épreuves nécessitant de la mémoire, une meilleure perception visuo-motrice, ainsi qu'un certain contrôle de l'impulsivité. Toutefois, le résultat des tests d'intelligence est resté sensiblement le même. En ce qui a trait à la coordination motrice, on a remarqué, chez certains, une amélioration de la calligraphie qui était de bien meilleure qualité. De plus, on a observé des améliorations au niveau de la qualité et de la production académique; cependant, il reste toujours difficile d'en connaître les bienfaits sur le succès scolaire à long terme. Côté comportement, on a noté un effet positif sur la capacité de l'enfant à maintenir une attention de meilleure qualité lors de l'exécution d'une tâche, tout en étant vraiment beaucoup moins agité. On a également observé que les enfants répondaient mieux aux demandes de leurs parents, que leurs comportements agressifs étaient diminués, et que les relations avec leurs pairs étaient meilleures. Ces études rejoignent très bien ce que l'on observe cliniquement lorsqu'une médication est efficace. «Ca va mieux», nous disent les parents et les enseignants, ou encore: «Il en a vraiment besoin».

Par contre, peu d'études sont disponibles sur les effets de la médication à long terme. De telles études, qui se voudraient rigoureuses, exigeraient la mise sur pied de deux groupes identiques, dont l'un recevrait une médication et l'autre pas, et avec lesquels on assurerait un suivi d'environ 10 à 15 ans pour que les résultats soient concluants. Il est évident qu'une telle étude n'est pas facile à réaliser.

Quel enfant peut en bénéficier?

L'aide de la médication doit se situer dans un réseau de moyens qui va correspondre à la réalité de chaque enfant. Des études démontrent qu'elle peut être efficace chez 80 % des enfants avec un déficit d'attention-hyperactivité; notre expérience révèle une efficacité un peu inférieure à ce pourcentage. Les observations démontrent aussi que les résultats sont meilleurs si l'enfant est âgé entre sept et dix ans, s'il ne présente pas de problèmes émotifs ou d'anxiété, et s'il a des relations harmonieuses avec ses parents. La prédominance des difficultés d'attention serait sans doute le meilleur facteur, afin de prédire si la médication sera efficace. Des chercheurs en sont présentement à mettre au point un test relié directement à l'impulsivité, qui permettra de déterminer si l'enfant répond de façon positive, ou non, à cette médication.

Ses effets secondaires

S'ils sont moins sévères que ce que la publicité a bien voulu leur attribuer, les effets secondaires sont par contre bien réels et semblent très souvent associés au dosage qui peut parfois être trop élevé. Dans d'autres cas, on découvrira que l'enfant a une sensibilité toute particulière à ce genre de médication. Les effets secondaires sont très souvent reliés aux conséquences de stimulation que la médication a sur le système nerveux autonome, au niveau de la régulation des fonctions automatiques comme le rythme cardiaque, la respiration ou la digestion. Si la réduction de la dose ne s'avère pas une mesure suffisante pour éliminer l'effet secondaire, on devra alors tenter une autre forme de médication. Les statistiques estiment qu'entre 1 et 3 % des enfants ne peuvent tolérer aucune forme de médication stimulante.

L'appétit

La diminution de l'appétit est sans doute l'effet secondaire le plus couramment observé. Il se retrouve d'ailleurs chez 50 % des enfants, et il se manifeste souvent par une boîte à lunch du midi à moitié vide. Cependant, si l'appétit du souper n'est pas affecté, on peut alors s'en accommoder. Ce genre d'effet secondaire est toutefois peu fréquent chez l'enfant qui répond positivement à une faible dose.

L'insomnie

Il se peut qu'avec la médication, l'enfant s'endorme moins rapidement. Le problème se retrouvera davantage chez celui qui prend une troisième dose vers 15 h 30-16 h. Il est toutefois intéressant de noter que des études sur les effets secondaires montrent que l'insomnie est également présente chez bon nombre d'enfants avec un déficit d'attention-hyperactivité qui ne prennent pas de Ritalin.

Les tics

On estime à 1 % le nombre d'enfants qui peuvent développer des tics suite à la prise de Ritalin. Il existe un syndrome appelé «Gilles de la Tourette», où l'on retrouve des tics de la figure, des épaules et des membres, associés à des vocalisations, et éventuellement à des vocalisations obscènes. Il est intéressant de remarquer qu'un pourcentage élevé d'enfants et d'adolescents qui souffrent de ce syndrome présentent également un déficit d'attention-hyperactivité. La présence de tics est une contre-indication à l'utilisation du Ritalin.

Les douleurs abdominales et les céphalées

Si les douleurs abdominales et les céphalées sont bien réelles, elles demeurent parfois difficiles à apprécier. La douleur abdominale est parfois un symptôme que l'on remarque chez l'enfant qui ne veut plus prendre sa médication. Si elle est efficace, et que les effets secondaires demeurent ambigus quant à leur origine, nous pouvons tenter de clarifier cet aspect par la prise de comprimés identiques mais sans substance active. (Voir plus loin avec l'essai.)

Les changements d'humeur

Des changements d'humeur tels que la tristesse, les pleurs, l'irritabilité, l'anxiété sont des effets secondaires que l'on peut aussi observer. Cependant, comme c'est le cas pour l'insomnie et d'autres manifestations secondaires, des études ont retrouvé exactement les mêmes manifestations dans les groupes à qui l'on administrait un placébo. Ceci nous indique que les changements d'humeur doivent toujours être évalués en fonction de l'état de l'enfant avant qu'il ne commence à prendre du Ritalin. De plus, il faut se rappeler que l'enfant commence souvent à prendre sa médication pendant une période difficile pour lui, et que cela peut également être un facteur de variation au niveau de son caractère. Un des changements que l'on se doit toutefois de spécifier, en ce qui concerne ce médicamment, est un état d'absence, d'extrême lenteur, de presque somnolence, où l'enfant est alors décrit par son enseignant comme n'étant «pas là». Cet état est habituellement la caractéristique d'un dosage trop élevé, et du besoin d'un réajustement à la baisse.

La croissance

Au début des années 70, on a fait une association entre la médication et un ralentissement de la croissance. Ce lien était davantage établi en fonction des amphétamines, ou associé à des doses trop élevées de Ritalin. Des études plus récentes parlent d'un effet initial et transitoire associé à une perte d'appétit, ou à une interférence avec l'hormone croissance. Cependant, lorsqu'il y a un effet de ralentissement de la croissance, on peut généralement noter subséquemment un effet de rattrapage lors de «pause pharmacologique», par exemple lorsque l'enfant arrête de prendre sa médication pendant les vacances d'été. La taille et le poids de l'enfant sont toutefois à surveiller tout au long du traitement.

L'accoutumance et la dépendance

Cet aspect a été très amplifié lors de la publicité anti-Ritalin, et elle continue encore d'inquiéter un certain nombre de parents. L'accoutumance est le développement d'une résistance, suite à la prise continue d'un médicament. Cette résistance oblige alors à augmenter la dose pour continuer à obtenir le même effet. Le diazépam (Valium) est un bon exemple; la personne qui en prend sur une base quotidienne se rend compte petit à petit que la dose n'est plus suffisante, et doit être augmentée parce qu'elle ne fait plus l'effet escompté. La dépendance à toute substance, comme à tout médicament, est l'obligation d'en prendre, parce qu'autrement on ne sent pas bien; notre système, notre physiologie ou notre psychologie en redemande. C'est le même phénomène que l'on rencontre avec l'alcoolisme et le tabagisme.

Il est vrai que sur une base pharmacologique, les psycho-stimulants sont des substances qui, dans un contexte particulier et un usage abusif, peuvent créer une dépendance et développer une accoutumance. Dans le monde de la drogue, les psycho-stimulants se nomment «speed»; ils sont, tout comme le Ritalin, des médicaments dits contrôlés, c'est-à-dire dont les quantités et les modalités de prescription et de répétition sont soumises à des règles. D'ailleurs, nous sommes toujours prudents avec ce genre de médicament, si l'on sait que dans la famille il y a un frère ou une soeur qui s'adonne à la drogue. Dans le contexte de son utilisation, et aux doses utilisées pour aider le déficit d'attention-hyperactivité, le Ritalin ne pose pas de problèmes de dépendance ni d'accoutumance, et ne mène pas à un usage abusif comme on a tenté de le laisser croire. La prise de la médication d'abord chez l'enfant, et encore plus chez l'adolescent, est toujours loin de se faire avec enthousiasme. Il faut en effet souvent leur rappeler de prendre leur médicament, sinon ils l'oublient tout simplement.

«Le Ritalin qui mène à la drogue» est l'un des aspects qui a été mis de l'avant par la publicité alarmiste dont nous avons déjà parlé; cette notion est fausse et n'a jamais été prouvée. (Voir le chapitre sur l'adolescence.) Nous avons déjà mentionné que les enfants avec un déficit d'attention-hyperactivité sévère présentaient d'importantes difficultés de comportement. En soi, cette population est donc plus à risque de délinquance et d'usage éventuel de drogue. À mon avis, si un tel enfant en vient à prendre de la drogue, ceci a beaucoup plus de chances d'être relié au fait que les mesures d'intervention, pour toutes sortes de raisons, se sont avérées sans succès, plutôt que parce qu'il a pris du Ritalin en cours de route.

L'enfant, les parents, le médecin, l'école et la médication

L'enfant

Le plus concerné, l'enfant, est malheureusement souvent le grand oublié. Il se retrouve confronté à une situation où ses parents lui demandent de prendre une médication «qui va l'aider», alors qu'il sait très bien que ces derniers sont réticents. Ceci est pour lui une pression supplémentaire. C'est un peu comme si on lui disait: «Dépêche-toi de faire mieux, pour qu'on puisse arrêter tout ça». Or l'enfant a déjà suffisamment de difficultés, sans avoir à supporter en plus le poids du malaise de ses parents. Si l'on veut que l'enfant prenne sa médication avec le plus de succès possible, il faut que les parents règlent d'abord ce problème avec eux-mêmes. De plus, l'enfant n'est jamais enthousiaste à l'idée de prendre du Ritalin, parce qu'il sait très bien que cela fait de lui un enfant différent des autres, alors que lui ne se perçoit pas comme tel.

Accompagner l'enfant dans la prise de sa médication n'est pas toujours facile. Plus elle a des effets bénéfiques nets, plus cela peut être relativement aisé; mais plus l'enfant est âgé, plus la situation se détériore, moins cela se fait sans heurt, d'autant plus qu'à la pré-adolescence, refuser de prendre sa médication peut rejoindre les autres oppositions parentales. Ajoutons qu'il est extrêmement important qu'avec la médication, les efforts de l'enfant ne soient pas sous-estimés; il ne faut surtout jamais lui faire passer le message que ses succès découlent du Ritalin, et non pas du fruit de ses efforts à lui.

Les parents

Rappelons que pour les parents, la décision de donner du Ritalin est une étape importante, car elle correspond à la reconnaissance d'un problème chronique, voire d'un handicap chez leur fils ou leur fille. Avant de commencer la médication, il est important qu'ils prennent le temps de s'informer, d'analyser le pour et le contre. Malheureusement la prise de Ritalin se situe souvent dans un contexte de crise ou d'urgence: l'année académique est compromise, on veut transférer l'enfant dans une classe spéciale, les professeurs font des pressions, etc.

Je pense vraiment que la médication ne doit être donnée que si les parents peuvent bien vivre avec cette idée. La prise de Ritalin à reculons n'en vaut pas la peine et n'est habituellement que de très courte duré. Et pour un parent, devenir confortable avec la médication ne se fait pas du jour au lendemain.

Pour en faciliter l'acceptation progressive, un essai de quelques semaines est souvent à conseiller. Il ne s'agit alors pas d'un engagement à long terme, mais d'une expérience concrète limitée. À la fin de l'essai, on pourra décider d'une marche à suivre selon les résultats obtenus.

Le médecin

Avec l'aide des autres intervenants, le rôle du médecin est de tenter de préciser le diagnostic et de situer l'apport que peut avoir la médication (avec ses avantages et ses inconvénients), dans l'ensemble des formes d'aide susceptibles de soutenir l'enfant. En dernier lieu, ce sont les parents qui prennent la décision. Si tel est leur choix, il prescrit cette médication et assure un suivi, ce qui n'est pas toujours facile compte tenu du temps et de l'investissement que l'on doit y apporter. Avec l'expérience, j'ai appris que le fait qu'un parent accepte une prescription et la mette dans son sac, était loin de vouloir dire qu'il était d'accord, et que celle-ci serait nécessairement donnée. Il y a quelques années, j'avais l'habitude de comparer le déficit d'attention-hyperactivité et le diabète juvénile. Dans les deux cas, je disais qu'il était nécessaire de remplacer la substance chimique manquante. Depuis, je me suis ravisé: un enfant diabétique ne peut vivre sans insuline, alors que l'enfant dont nous parlons peut fonctionner sans Ritalin. Sa situation s'améliore avec le temps. De plus, j'ai été souvent surpris de voir des enfants s'en tirer sans médication, alors que j'étais convaincu que tout allait s'effondrer s'ils n'en prenaient pas.

J'essaie toujours de ne pas prescrire du Ritalin lors du premier rendez-vous, même si je sais que les parents sont probablement d'accord. Habituellement, ils n'ont pas encore toute l'information en main. Une partie de ce qu'ils savent et apprendront leur vient de leur réseau social: amis, famille, collègues de travail, milieu scolaire, et les renseignements sont souvent contradictoires. En reportant ainsi la décision d'administrer ou non la médication à une visite subséquente, je leur laisse le temps de poser les questions nécessaires, d'y penser et de prendre ensuite la décision la plus éclairée possible.

L'école

Toute la situation reliée à l'école sera abordée en détail au chapitre 10. Mentionnons seulement ici que son rôle est important vis-à-vis de la médication. D'abord, parce que l'école est le milieu où les difficultés de l'enfant, tant académiques que de comportement, posent le plus de problèmes. Ensuite, c'est souvent l'école qui va faire ressortir de façon évidente la problématique de l'enfant, et finalement c'est l'école qui évaluera de façon concrète si la médication aide ou n'aide pas. Plusieurs des personnes-ressources en milieu scolaire ont d'ailleurs développé, avec le temps et l'expérience, une expertise qui simplifie grandement l'étape du diagnostic et du suivi. Malheureusement, nous avons également remarqué que la pression d'utiliser la médication est souvent proportionnelle à l'intensité de la crise, et au manque de ressources professionnelles en place. Le Ritalin est alors perçu comme un cataplasme, et dans ce contexte, il ne donne certainement pas les résultats espérés, puisque nous avons déjà dit que le médicament doit être utilisé en même temps que d'autres formes d'aide à différents niveaux.

Les incohérences

Des études ont démontré que 80 % des enfants à qui la médication avait été prescrite n'en prenaient plus un an plus tard. Ceci ne nous surprend guère, compte tenu des différents scénarios que nous avons souvent l'occasion d'observer: l'école réclame la médication, le parent refuse et le médecin hésite; ou bien le médecin est assuré du bienfait de cette approche, les parents sont d'accord, mais l'école ne l'est pas; ou encore l'école et le médecin sont d'accord, les parents hésitent, et l'enfant, lui, ne le veut pas; ou il est d'accord au début, mais très rapidement, il ne l'est plus. Il semble donc souvent y avoir des incohérences entre les différentes personnes impliquées, c'est-à-dire l'enfant, les parents, l'école et le médecin. Ces incohérences proviennent sans doute du fait que le déficit d'attention-hyperactivité est une situation très complexe. D'abord procéder avec un essai au niveau de la médication se révèle parfois comme un moyen d'en arriver à réduire ces incohérences.

Faire un essai

Le premier avantage de l'essai est de donner aux parents et à l'enfant le temps de cheminer au niveau du diagnostic. Ensuite, il a pour but de déterminer si oui ou non la médication aide l'enfant, et si oui, dans quelle mesure. Si l'essai démontre que le Ritalin aide effectivement, on peut ensuite déterminer si on veut l'utiliser sur une plus longue période.

Modalités

Il existe plusieurs façons de procéder. Mais ce qu'il faut tenter d'aller chercher avant tout, est le plus d'informations objectives possible afin de pouvoir répondre à la question suivante: «Est-ce que ça aide vraiment?» et surtout éviter de se retrouver avec des réponses du type: «Peut-être», «Un peu», «Parfois». Pour faciliter l'exercice, on peut demander à l'enseignant quelle que soit la modalité d'essai choisie, de remplir quotidiennement une fiche d'observation. Les fiches de Conner's sont souvent utilisées. Elles comprennent 10 points:

1. Ne tient pas en place;
2. Excitable, impulsif;
3. Dérange les autres enfants;
4. Ne termine pas ce qu'il commence;
5. Joue avec toutes sortes de choses avec ses mains;
6. Facilement distrait;
7. Veut être satisfait immédiatement, facilement frustrée;
8. Pleure souvent facilement;
9. Son humeur change rapidement et de façon subite;
10. Se met facilement en colère.

Chaque point est coté à partir de ces quatre choix: pas du tout, un peu, assez, beaucoup. Ces fiches ne sont pas parfaites, mais elles ont l'avantage de se remplir en peu de temps. Les éléments de la liste qui ne sont pas pertinents, peuvent être ignorés; ce qui importe, c'est d'observer la variation du comportement entre les jours avec médication, et les jours sans médication. De plus, tout autant que la cote, les commentaires que l'enseignant y inscrit peuvent également être très utiles.

La modalité la plus simple est de commencer par une période d'observation de quelques jours, en général une

semaine, ce qui va permettre à l'enseignant de se fami-
liariser avec les aspects de la grille. La médication est
donnée par la suite quotidiennement pour une période de
15 jours de classe. À la fin de cette période, on peut
observer si des changements on été notés durant la période
d'essai. Cette approche simple suffit chez les enfants où
le diagnostic est plus évident.

Dans les situations où le diagnostic est probable,
mais où l'on retrouve d'autres facteurs, il est bon, après la
période initiale d'observation, de choisir une période de
20 jours de classe, dont 10 seront avec médication, et 10
sans médication. Les jours en question sont tirés au hasard.
L'enseignant cote à tous les jours, mais elle ne connaît pas
les journées où la médication est donnée. À la fin de cette
période, on consulte le code et l'on voit si les «bonnes
journées» correspondent aux jours avec médication, et les
journées plus difficiles, aux jours sans médication. Pour les
cas très difficiles, on peut procéder de manière à ce que
l'enfant prenne un comprimé à tous les jours. Les
comprimés seront identiques, mais pour la moitié des jours,
tirés au hasard, les capsules de la journée ne contiennent
qu'une poudre inerte. Ni l'enseignant, ni les parents, ni
l'enfant n'en connaissent le code. Les fiches d'observation
sont remplies, et on fait ensuite l'analyse avec le médecin.

De façon générale, la très grande majorité des
enseignants sont d'accord pour participer à ce genre
d'essai. Occasionnellement, il peut arriver qu'il y ait des
enseignants pour qui la médication soit inacceptable. Pour
éviter la confrontation, les parents choisiront de donner la
médication avec discrétion, et tenteront de vérifier ensuite
si des changements ont été notés. En général, je demande
aux parents, pendant ou avant l'essai, de donner le Ritalin
à la maison, par exemple les jours de fin de semaine, afin
qu'ils puissent avoir eux-mêmes une première perception
de l'effet qu'il peut avoir sur leur enfant. Lorsque le Ritalin

est efficace, les effets se manifestent clairement. L'enseignant peut même parfois nous dire, et ce même avant l'ouverture du code, les jours où la médication a été donnée, et les jours où il n'y en avait pas. Cette approche d'essai contrôlé n'est cependant pas toujours accessible, et demande beaucoup de disponibilité; toutefois, elle permet à l'enseignant, aux parents, au médecin et aussi à l'enfant, d'arriver à la même conclusion, et de réduire ainsi les incohérences mentionnées plus haut.

Doit-on en prendre tout le temps?

À toutes fins pratiques, il existe deux solutions possibles: en donner tous les jours de la semaine, y compris les jours de fin de semaine, ou n'en donner que dans une perspective scolaire, c'est-à-dire uniquement les jours de classe. L'enfant est alors sans médication en fin de semaine, pendant les arrêts pédagogiques, les vacances de Noël, de Pâques et d'été. On choisit le régime qui convient davantage à la situation de chacun.

Régime: jours de classe seulement

C'est surtout lorsque la question des effets secondaires a fait surface, au début des années 70, que cette approche a été préconisée. On donnait ainsi une pause à l'organisme. Comme le médicament n'agit que pendant quatre heures, on avait un période libre de toute médication dans le sang au cours de la nuit. En plus, s'ajoutaient ici les pauses périodiques de fin de semaine et de vacances scolaires. Comme les parents acceptaient le Ritalin avec beaucoup d'hésitations, ça faisait donc leur affaire, puisque l'enfant n'était pas sur une médication continuelle. Il va de soi que donner la médication les jours de classe seulement, c'est davantage reconnaître un problème d'apprentissage relié à l'école.

Régime: médication continue

Les arguments en faveur de la médication continue sont que l'enfant se sent plus stable, qu'on reconnaît que les appren-

146

tissages ne se font pas qu'à l'école, mais aussi à la maison et ailleurs, et qu'il y a aussi tout l'apprentissage via la socialisation. Si le Ritalin fait que l'enfant peut jouer dans une équipe de hockey à l'aréna de son quartier le samedi matin, ça vaut peut-être le coup qu'il prenne du Ritalin sur une base continue. La tendance actuelle, maintenant que les craintes sur les effets secondaires se sont atténuées, est de donner le médicament de façon continue, parce que l'on obtient plus de stabilité. Évidement, tout dépendra de la situation individuelle de chacun, et surtout de la sévérité de l'entité.

En prendre pendant combien de temps?

À la lumière des connaissances actuelles, la réponse à cette question est: tant que cela améliore la situation. De plus en plus, cela veut dire aussi qu'on reconnaît son besoin également à l'adolescence, et même pour certains, durant la vie adulte. Je ne pense pas que ceci amène d'excès; on peut tout de suite rassurer ceux qui croient qu'il y a trop d'enfants qui prennent du Ritalin sans en avoir besoin. Mon expérience démontre qu'il en est tout autrement: je ne connais pas de parents qui acceptent de continuer la médication, si elle n'est pas utile, ou s'il y a d'autres approches alternatives tout aussi valables.

Tel que mentionné, si des études ont observé que 80 % des enfants n'en prenaient plus après un an, il faut présumer qu'un bon nombre d'entre eux n'en avait pas besoin. Nous remarquons que dans chaque situation, les parents finissent par déterminer la durée, en se basant sur les bienfaits obtenus pour chaque enfant. Notons que la médication, dans des cas particuliers, peut être prise sur une base périodique, lorsque les ressources et les autres approches ne sont pas suffisantes pour survivre aux périodes difficiles. Elle peut alors être prise pour une période de quelques mois, le temps de calmer la tempête, de permettre la mise en place d'autres modalités d'aide, et de permettre aussi à l'enfant de vivre certains succès.

Dans les situations extrêmement difficiles, lorsque les problèmes de comportement sont importants, la médication n'est habituellement pas prise pour très longtemps. Il semble que son efficacité soit alors noyée dans l'ensemble de toutes les autres difficultés.

Somme toute, il n'y a pas de règles sur la durée, et la prise de la médication demeure un choix bien individuel.

Ça marchait, mais ça ne marche plus

Quand tout va mieux et que le Ritalin fonctionne bien, il se peut qu'on laisse tomber d'autres formes d'aides. On a parfois tendance à oublier que le programme académique avance et exige plus. Dans ces cas-là, une médication qui donnait de bons résultats semble progressivement ne plus vouloir fonctionner. En fait, elle fonctionne toujours, mais c'est que les difficultés académiques sont devenues plus grandes.

Il arrive aussi qu'il y ait des changements dans l'entourage de l'enfant, au niveau des personnes qui vivent près de lui, au niveau des exigences familiales, des déménagements, des pertes d'amis. Tous ces détails semblent peut-être moins importants pour un enfant normal, mais peuvent perturber l'équilibre fragile de l'enfant, et donnent l'impression que la médication ne fonctionne pas.

Le fait que «ça marchait» était-il vraiment relié au Ritalin ou bien au processus d'aide? Lorsque des parents décident de faire quelque chose pour leur enfant en difficulté et qu'ils entreprennent un processus d'évaluation et de diagnostic, la démarche en soi a des vertus en ce sens qu'elle permet de prendre des distances par rapport aux difficultés; les analyser avec une autre personne décontamine très souvent certains aspects émotifs qui s'étaient ajoutés et qui amplifiaient les difficultés. Dans le processus d'évaluation et de diagnostic, que l'on décide ou non de donner une médication, il y a de bonnes chances que la situation s'améliore et que les parents trouvent que «ça va mieux». La situation scolaire se décontamine aussi lorsque les enseignants savent que les parents ont entrepris une démarche et recherchent une solution. Il est donc possible que l'amélioration observée pendant 6 à 8 semaine ne soit pas due à la médication qui a été donnée, mais plutôt à la démarche qui était en cours. Cette variable, toujours présente à divers degrés, fait ressortir l'importance d'un essai de la médication, en même temps qu'une objectivation de son efficacité. À noter que la tentation, lorsque ça ne marche plus, est parfois d'augmenter la dose; c'est une erreur à éviter, car la dose n'a habituellement jamais besoin d'être ré-ajustée à court terme, à moins qu'elle n'ait été nettement trop basse au début.

Les autres formes de médicaments

Le cylert (pémoline) a été utilisé initialement en Europe, et s'est révélé être efficace dans le traitement du déficit d'attention-hyperactivité. C'est un psycho-stimulant qui ne fait pas partie de la même famille que le Ritalin, et qui n'agit pas comme lui. Son mécanisme d'action précis n'est pas connu, sa durée d'action est beaucoup plus longue, de sorte qu'on en prend une fois par jour, en général le matin. De plus, il se prend de façon continue, et non pas seulement les jours de classe. Ses effets sont plus difficiles à apprécier, et peuvent n'apparaître que 3 à 4 semaines après le début du traitement. En général, on commence par 1/2 ou 1 comprimé par jour, puis on augmente d'1/2 comprimé par semaine, à toutes les deux semaines. Les effets secondaires sont moins prononcés qu'avec le Ritalin, et le problème le plus fréquent est celui de l'insomnie. Avec ce médicament, il est important de procéder à une prise de sang, afin de vérifier l'état du foie avant le début du traitement, et ensuite à tous les six mois. Cette médication demeure pour nous un second choix, et nous l'utilisons surtout chez l'enfant pour qui le Ritalin ne fonctionne pas, ou lorsque celui-ci provoque trop d'effets secondaires.

Les tricycliques sont des médicaments utilisés en médecine pour des problèmes de dépression. Cette médication peut être prescrite à l'enfant qui ne répond pas bien au Ritalin, et chez qui l'on remarque une composante importante d'anxiété ou de dépression. Il n'est toutefois utilisé que de façon exceptionnelle.

La dexédrine est une amphétamine de même famille que le Ritalin, qui a d'ailleurs été utilisée avant ce dernier. Elle n'est plus employée que dans les cas sévères ou atypiques, là ou le Ritalin ne donne aucun résultat. Elle est occasionnellement prescrite chez l'enfant en bas de cinq ans, pour qui une médication s'impose.

Les autres thérapies

On a tout essayé, de la chiropractie, à l'ostéopathie, aux bandes magnétiques. Ce que ces multiples approches thérapeutiques nous apprennent, c'est que parfois le déficit d'attention-hyperactivité est tel que, comme bien d'autres conditions où il n'y a pas «de guérison», on est prêt à tout essayer. Et en essayant, on garde espoir et on continue de cheminer. Face à cette attitude, il n'y a pas d'objections qui tiennent.

Quant aux régimes de méga-vitamines, il n'y a aucune évidence que ces régimes soient efficaces, et ils peuvent même être très dangereux pour le foie.

Comme on l'a déjà mentionné, le rôle des colorants, des additifs et des sucres comme facteurs responsables de l'hyperactivité n'a jamais été prouvé, même si certains parents y trouvent une certaine association. Une diète en conséquence ne nous apparaît donc pas comme une solution sérieuse à envisager. On peut se référer ici à ce qui a été dit au chapitre 4.

En ce qui concerne le déficit d'attention-hyper-activité, la médication demeure une approche qui n'est pas simple; elle est même beaucoup plus complexe que d'autres situations cliniques où un médicament est prescrit. C'est donc avec beaucoup de souplesse qu'elle doit être abordée. J'ai mentionné plus haut que la décision de donner la médication appartenait aux parents. Dans la discussion que j'ai habituellement avec eux, il y a deux aspects particuliers que j'essaie de faire ressortir. Le premier concerne l'enfant, et situe en somme la médication dans une perspective de développement. La seconde concerne les parents et les exigences qu'ils rencontrent à vivre avec un enfant qui présente un déficit d'attention-hyperactivité. Lors de cet échange, certains parents me mentionnent que si telle est vraiment la situation de leur enfant, ne vaut-il pas mieux que celui-ci soit confronté tout de suite avec sa différence et que tout le monde s'ajuste, plutôt que de lui offrir une béquille pharmacologique. J'explique alors que l'enfant est en développement, et qu'à l'âge de ses nombreux appren-tissages, il faut absolument que son potentiel soit maximisé; à cette période de sa vie où il est en train de découvrir ses forces, ses limites et sa personnalité, il faut aussi pouvoir mettre toutes les chances de son côté. Et je me dis qu'à ce stade important de sa vie, si la médication peut faire la différence entre le succès et l'échec, alors pourquoi pas? En temps opportun, il pourra toujours décider lui-même de continuer de prendre la médication. Avec les parents, je partage le fait qu'ils ont déjà tant de défis à relever afin de bien accompagner leur enfant tout au long de son cheminement, que si la médication peut leur permettre de conserver leur énergie afin de vivre des activités de famille heureuses et formatrices, alors pourquoi pas? Pour moi, un parent qui opte pour la médication n'est pas un parent qui opte pour la voie facile, loin de là!

CHAPITRE
9

COMMENT AIDER
Suzanne Lavigueur et Claude Desjardins

Le chapitre sur la famille a souligné que les parents d'un enfant souffrant d'un déficit d'attention-hyperactivité ont souvent besoin, à un moment ou à un autre de leur vécu, de support, d'appui et d'aide professionnelle. Ils viennent consulter après avoir épuisé leurs propres ressources, alors qu'ils se rendent compte que leur approche n'est plus satisfaisante, ou qu'elle ne fonctionne plus. Ce chapitre veut identifier certains pré-requis à toute forme d'intervention, et présenter les aspects à clarifier au point de départ, dès qu'une demande d'aide est placée; ces préalables nous apparaissent valables quel que soit l'intervenant impliqué ou le mode d'aide utilisé. On abordera ensuite certaines stratégies éducatives plus spécifiques susceptibles d'aider l'enfant.

Plusieurs intervenants, plusieurs formes d'aide

Le déficit d'attention-hyperactivité demeure une entité difficile à cerner, avec des caractéristiques bien spécifiques mais extrêmement variables, surtout lorsqu'elles se retrouvent en association avec d'autres difficultés. Nous savons que ces comportements problématiques se manifestent tant dans la famille, qu'à l'école ou dans le voisinage. Ils sont variés et omniprésents, ce qui explique pourquoi à peu près tous les types d'intervenants peuvent être appelés à jouer un rôle auprès d'un tel enfant: éducateur en milieu de garde, médecin de famille ou pédiatre, enseignant, psycho-éducateur ou psychologue en milieu scolaire, éducateur ou travailleur social en CLSC, au

C.S.S. ou en centre d'accueil, directeur d'association de parents d'enfants en difficulté, etc. En fait, un spécialiste du déficit d'attention-hyperactivité, ça n'existe tout simplement pas. Ce que l'on retrouve, c'est l'enfant hyperactif avec ses parents, ses frères et ses soeurs d'un côté, et de l'autre, tous les autres intervenants des divers secteurs qui tentent de les comprendre et de les aider à certaines étapes de leur cheminement. Pour l'enfant comme pour le parent, le vrai «spécialiste» n'a rien à voir avec le titre du professionnel, mais sa compétence se définit à partir de la qualité de son implication, qui permettra une véritable compréhension, une approche réaliste et des améliorations concrètes, si petites qu'elles soient.

Selon le cas, les besoins et les ressources disponibles, cette aide peut prendre la forme de «counseling» et de support auprès de l'enfant, des parents, et de la fratrie; elle peut également être pour les parents un accompagnement centré sur le développement d'habiletés éducatives spécifiques (cette approche prend parfois le nom de *Parent Training Programs*, ou «programmes d'éducation de parents»). L'aide peut se faire individuellement, avec l'enfant seul ou avec sa famille, comme elle pourra se faire, selon les circonstances et les ressources disponibles, en groupes de parents dans des ateliers ou à des sessions d'information. Mais quelle que soit la forme d'aide utilisée et quel que soit le professionnel impliqué, certains aspects méritent d'être éclaircis dès le point de départ, afin de fournir de meilleures bases à une recherche conjointe de solutions nouvelles et efficaces. De quels aspects s'agit-il?

Préciser le contexte familial, le besoin de l'enfant et celui du parent

L'attente de départ

Il est important de bien cerner, dès le départ, ce que veulent les parents. Pourquoi viennent-ils consulter: est-ce seulement pour explorer les ressources existantes, ou pour recevoir de l'aide parce qu'ils n'en peuvent vraiment plus? Est-ce parce que d'autres problèmes se sont finalement greffés à ceux présentés par l'enfant, comme par exemple une menace d'éclatement de la famille?

On remarque que c'est très souvent une autre personne de l'entourage, milieu de garde, école, parent ou ami, qui a mentionné aux parents qu'ils devraient consulter et aller chercher de l'aide: «Vous devriez en parler à votre médecin» ou encore «Vous devriez consulter un psychologue»… Or bien souvent, les parents en sont arrivés à la maison à un certain équilibre; il est vrai que cet équilibre peut être précaire, mais dans bien des cas, c'est tout de même une manière de fonctionner à laquelle ils se sont adaptés. Ainsi, même s'ils viennent se vider le coeur et décrire des situations qui semblent difficiles à vivre, cela ne veut pas dire pour autant qu'ils sont prêts à s'embarquer dans un processus en profondeur qui risquerait de trop remettre en question ou de chambarder l'équilibre relatif auquel la famille s'est habituée.

Situer le problème dans son contexte global

Le besoin exprimé est donc bien souvent circonstanciel: c'est-à-dire que les parents voudront des moyens spécifiques pour régler des problèmes clairement identifiés. Si au contraire, les parents manifestent le désir d'aller plus loin, l'intervenant devra alors mettre le temps nécessaire pour comprendre le contexte particulier dans lequel s'inscrit la situation de l'enfant. Il tentera ainsi de comprendre la dynamique de tensions et d'ajustements qui s'est développée avec le temps et au fil de l'évolution des symptômes du déficit d'attention-hyperactivité. Il devra démêler et situer dans un contexte d'ensemble, ce qui appartient à certaines difficultés personnelles des individus, ce qui relève de conflits parentaux, et ce qui découle de situations particulières de stress vécu par la famille ou par l'un de ses

membres: l'annonce d'une grossesse, l'arrivée d'un nou-
veau-né, un déménagement, des difficultés au travail, une
maladie, un conflit à l'école, etc.

Une approche enracinée dans le vécu de chacun

Si les parents désirent développer des stratégies nouvelles
d'intervention et si l'intervenant est lui aussi prêt à y investir
l'énergie requise, il est important que les deux parents
soient de la partie, même si leur participation sera rarement
équivalente. Au chapitre sur la famille, nous avons vu qu'il
était fréquent que les parents aient une compréhension
différente de la situation. Qu'est-ce qui est problématique
pour l'un, pour l'autre et pour les deux? Qu'est-ce que l'un
et l'autre réussissent bien? Comment le conjoint perçoit-
il les forces et les faiblesses de l'autre? Comment et dans
quel secteur chacun des parents a-t-il plus de succès? Quel
est le degré de communication entre les parents eux-
mêmes, entre ces derniers et leur enfant? Comment les
frères et soeurs participent-ils à la situation? Il est également important de s'attarder à comprendre le point de
vue de l'enfant lui-même: Qu'est-ce qui est problématique
à ses yeux? Qu'est-ce qu'il trouve agréable à vivre? Où a-
t-il l'impression de bien réussir? Qu'est-ce qui selon lui,
l'aide le plus de la part de sa mère, de son père, de ses
frères ou soeurs?

Ces exemples de questions visent à illustrer l'approche avec laquelle l'intervenant aborde la demande
d'aide: il cherche en fait à identifier avec chacun des
interlocuteurs quelle est sa perception des difficultés, sa
motivation au changement, et surtout où sont dans le milieu
même les ébauches de solution. Une approche de la problématique et de sa solution qui tente ainsi de s'enraciner dans
le milieu lui-même est, selon nous, la base la plus solide de
toute forme d'aide. Les résultats de certaines recherches
confirment notre propre expérience; ils soulignent que les
changements de comportement et d'attitudes ont plus de

chances de se produire et d'être durables, si ce sont, par exemple, les parents eux-mêmes qui ont élaboré leurs propres solutions relationnelles.

Il faut donc acquérir dès le début une bonne connaissance des caractéristiques de l'enfant, des caractéristiques de chacun des parents, des frères et des soeurs, ainsi que des sources de stress ou des circonstances particulières que vit la famille. Par «caractéristiques» de chacun, nous entendons sa perception du problème, ses difficultés particulières, sa motivation personnelle à participer à un processus de changement, et surtout les forces personnelles qui peuvent être mises à profit pour contribuer à faire évoluer la situation. Nous avons parfois tort de prendre pour acquis que la mère est, à tout fin pratique, la seule qui soit prête à s'impliquer dans une telle démarche; la mère dira facilement que le père est «trop pris à l'extérieur», la fratrie n'est «pas intéressée», alors que l'enfant «ne voit pas son problème»... Une acceptation trop rapide de la démission des autres membres de la famille sanctionne cette vision et remet injustement le poids de la situation sur les épaules de la mère; cette situation compromet grandement l'effet durable d'un processus d'aide. Néanmoins, dans la réalité, il faut bien reconnaître que la mère joue souvent un rôle-clé dans les changements auxquels s'ouvriront, de façon plus progressive, l'enfant et tout le reste de la famille.

Il n'y a pas de solution-miracle

Malgré toutes ces précautions de départ, malgré le meilleur enracinement possible dans la réalité quotidienne de chaque famille, et malgré la compétence des intervenants, chacun doit s'armer de patience: les résultats sont rarement ni spectaculaires ni immédiats, ils sont en général très graduels, avec des hauts et des bas. Les recherches qui évaluent systématiquement l'impact des programmes d'intervention révèlent que les résultats sont souvent décevants. Parents ou enfants abandonnent les programmes ou alors, les progrès obtenus ne sont pas aussi durables que chacun l'espérait. Les abandons sont d'autant plus fréquents lorsque l'approche utilisée est standardisée et parachutée dans la famille, sans que les personnes impliquées ne soient parvenues à la modeler à la réalité particulière de celle-ci. L'espoir d'un processus d'aide, c'est que les petits changements, les petits progrès soient reconnus par chacun (le parent, l'enfant et le professionnel...) comme étant importants et fort valables, puisque ceux-ci permettront en général à d'autres espoirs et à d'autres petits progrès de se développer dans le vécu quotidien de la famille. Toutes les difficultés seront loin d'être réglées, mais l'escalade des interactions négatives connaîtra des temps d'arrêt et certains bons moments rendront plus acceptables certaines difficultés qui persistent.

Quelques points de repère dans la démarche proposée aux parents

Connaître ce qu'est le déficit d'attention-hyperactivité
Nous croyons qu'un bon point de départ pour aider le parent serait de s'assurer qu'il possède une information exacte sur ce qu'est le déficit d'attention-hyperactivité comme entité clinique. Bien en comprendre la nature, les caractéristiques, l'évolution, constitue en effet un pré-requis fort utile pour tout parent. Cette connaissance lui permet de situer ensuite le problème qu'il vit avec son propre enfant dans une perspective plus large, et lui permet de prendre un certain recul émotif, en le sensibilisant au fait que ni la bonne volonté de l'enfant ni sa compétence de parent ne sont ici remises en cause.

Cerner une difficulté précise
De plus, lorsque les parents consultent, c'est en général qu'ils sont déjà préoccupés par certaines difficultés de

comportement de leur l'enfant; ces difficultés affectent l'ensemble des activités de la vie quotidienne, à la maison et à l'école. Une approche efficace consiste à accepter d'y aller progressivement en n'attaquant qu'un problème à la fois, en le cernant de façon concrète et en identifiant bien les circonstances qui l'entourent, afin d'établir une stratégie d'action précise et de prévoir une alternative si la démarche proposée ne fonctionne pas.

Viser de petites réussites

Aussi est-il préférable de s'attaquer d'abord aux problèmes plus simples, mais où les chances de réussite sont plus élevées. À titre d'exemple, il ne serait pas approprié de tenter de solutionner un problème important, mais qui survient à un moment stressant de la journée, comme ce peut être le cas des devoirs à faire à 17 h, tout juste avant le souper, alors que la faim, la fatigue et la préparation en cours exacerbent l'impatience de chacun.

Certaines habiletés éducatives susceptibles d'aider l'enfant

Dans les pages suivantes, nous parlerons de certaines stratégies bien connues qui se rattachent à l'approche behaviorale[3], approche qui vise essentiellement à modifier le comportement de l'enfant à partir d'une gestion systématique des conséquences produites par ce comportement sur l'environnement social. Cette approche constitue la trame de fond des «programmes d'éducation de parents» évoqués plus haut; les apprentissages proposés par ces programmes ne sauraient se résumer ici en quelques pages, et ils exigent un accompagnement systématique par des professionnels formés à cette approche. Nous tenterons néanmoins d'en résumer certains principes de base, parce

---

3. Par «approche», on entend un ensemble de moyens d'intervenir dont la logique est dictée par un modèle théorique qui leur est sous-jacent, comme par exemple, l'approche bio-physique, l'approche behaviorale, l'approche cognitive, etc.

qu'ils peuvent éclairer certaines questions éducatives qui posent souvent problème, comme par exemple comment tenter d'éviter les escalades de confrontations avec l'enfant, quand et comment il faut récompenser ou punir. Cependant, à partir du principe énoncé plus haut voulant qu'il importe d'agir d'abord à partir des forces et des difficultés propres à chaque enfant et à son milieu, nous nous devons de répéter qu'il n'existe malheureusement pas de réponses faciles et uniformes à ce genre de questions. Nous pensons qu'il est préférable de lire les stratégies qui suivent plus comme des pistes de réflexion sur sa propre approche éducative, que comme des recettes professionnelles ou des solutions instantanées.

L'interaction positive

Cette stratégie consiste à favoriser le développement progressif d'une interaction «positive» avec l'enfant. Au chapitre sur la famille, nous avons vu que les relations entre l'enfant et les parents devenaient facilement dominées par une attitude corrective, directive, coercitive et désagréable. Par opposition, l'interaction positive consiste à choisir un moment spécial, idéalement de quinze à vingt minutes, pour partager une activité choisie par l'enfant. Pendant la durée de cette activité privilégiée, le parent s'assure qu'il n'y a aucun élément coercitif ou directif de sa part. En plus de favoriser une atmosphère intéressante, la répétition de ce moment spécial et gratifiant, devient également un moyen qui permet au parent de prendre davantage conscience de la tension presque constante qui teinte toutes les interactions qui se vivent avec son enfant.

On peut utiliser l'interaction positive dans bien d'autres moments, par exemple lorsque l'enfant s'occupe de façon indépendante. Spontanément, les parents ont tendance à ne pas interférer auprès de lui lorsqu'une activité autonome et positive se déroule bien. Ils se disent: «Puisque ça va bien, pourquoi risquer de le déranger et de tout compromettre?» Or, au contraire, il a été observé que l'enfant qui était félicité en cours de route, ne cessait pas pour autant son activité, mais qu'il se sentait alors valorisé par la remarque de son père ou de sa mère, et qu'il était encouragé non seulement à persévérer dans son comportement, mais à vouloir le reproduire par la suite.

La gestion des demandes

Les parents ont souvent l'impression que l'enfant ne fait pas ce qu'ils lui demandent, et qu'il faut «sans cesse répéter». Comme pour les activités indépendantes, ils auraient ici avantage, lorsque l'enfant répond parfois positivement à une demande, si petite et si peu contraignante soit-elle, à systématiquement encourager ce comportement lorsqu'il se produit. De cette manière, en endossant tout comportement approprié, ils arriveraient peut-être à développer chez lui un modèle de réponse positive à d'autres demandes.

Certaines règles peuvent aussi permettre aux parents d'être plus efficaces dans la manière de transmettre leurs demandes à l'enfant:

1. D'abord, on choisit des demandes auxquelles l'enfant peut facilement répondre.

2. Ensuite, on s'assure qu'on est prêt à faire respecter ces demandes jusqu'au bout.

3. De plus, on exprime ses demandes de façon simple et directe, plutôt que sous forme de question. Par exemple: «Yanick, c'est le temps de serrer tes jouets et de prendre ton bain», plutôt que «Yanick, c'est le temps de prendre ton bain, tu ne trouves pas qu'il serait temps que tu commences à ramasser tes jouets?».

4. Finalement, les demandes sont faites de façon à clairement attirer l'attention de l'enfant; elles ont avantage par exemple, à ne pas être faites en passant dans le corridor pendant que l'enfant joue, mais en le

regardant bien dans les yeux, et même parfois en demandant à l'enfant de répéter: «Qu'est ce que je te demande de faire maintenant?...«Bravo, c'est exactement ça!».

Nous croyons qu'il est important d'éviter le genre d'escalade où la demande est d'abord formulée comme un souhait: «J'aimerais que...». Le souhait est ensuite répété, le ton augmente, et finalement la menace éclate si la demande n'est toujours pas exécutée. Cette façon de procéder ne mène qu'à une situation où les parents et l'enfant se retrouvent infailliblement perdants.

La gestion des récompenses

Au chapitre sur l'étiologie, nous avons déjà souligné toute la problématique reliée au système de la motivation chez l'enfant avec déficit d'attention-hyperactivité. Cet enfant a en effet besoin de récompenses plus immédiates, plus concrètes, plus fréquentes et plus variées que la plupart des autres enfants. Le fait qu'il se laisse si facilement distraire et qu'il change souvent d'activités, est bien là une indication qu'il est constamment à la recherche de gratifications immédiates, qui ne demeurent satisfaisantes que pour de courtes durées. Ce fonctionnement particulier de son système de motivation fait que les récompenses extérieures sont appelées à jouer un rôle important, parfois capital, dans la régulation de son comportement quotidien, quel que soit le secteur d'activités, à l'école comme à la maison ou au terrain de jeu.

Donner des récompenses soulève toujours passablement de questions du côté des parents. Ils sont bien prêts à reconnaître que oui, l'enfant a parfois besoin d'être récompensé et que comme parents, ils ont également le goût de le faire. Par contre, ils se disent que dans la vie, tout n'est pas que récompense, et qu'il faut apprendre à l'enfant à faire les choses de façon «gratuite», y compris les tâches qui ne sont pas nécessairement agréables. À motiver le comportement de son enfant par une suite de récompenses, ne risque-t-on pas de faire de lui un être matérialiste, essentiellement motivé par un profit concret et immédiat? Ceci est une préoccupation éducative partagée, mais les parents doivent reconnaître qu'un enfant avec un déficit d'attention-hyperactivité est un enfant différent, et que certaines difficultés se situent précisément au niveau de l'efficacité de son «propre système de récompenses». À ce niveau, il est «hors-norme». Il faut ainsi accepter que l'importance accordée aux récompenses extérieures sera elle aussi hors-norme. Dans la réalité, les récompenses extérieures joueront pour la majorité de ces enfants un rôle bien plus important que celui que ne le souhaiteraient les parents.

Les règles suivantes peuvent toutefois être utiles lorsqu'il est question de donner efficacement des récompenses:

1. On a tout avantage à choisir le contenu des récompenses dans une atmosphère de complicité positive avec l'enfant; on trouvera ensemble ce qui lui fait vraiment plaisir, tout en étant réaliste avec les comportements en cause. Que le parent décide de façon unilatérale quelle sera la récompense en jeu, prive inutilement l'enfant d'un moment positif avec son père ou sa mère, moment pendant lequel ils peuvent tous les deux se rapprocher, et où l'enfant peut devenir en quelque sorte le premier responsable de la démarche qu'on lui proposera.

2. La récompense doit être prévue dans un avenir proche. Particulièrement si l'enfant est plus jeune et si ses difficultés sont plus grandes, les récompenses trop éloignées, comme par exemple à la fin de la semaine ou à la fin du mois, sont moins efficaces; souvent, l'enfant va s'acharner pour l'avoir immédiatement, et le parent

deviendra impatient. L'aspect gratifiant de la récompense sera alors dilué sinon complètement perdu.

3. Comme les punitions, les récompenses doivent être claires et bien définies, par rapport à des situations bien spécifiques. Par exemple: la permission de jouer quinze minutes au Nintendo avant le souper, si telle partie du devoir est complétée est une récompense plus précise que la permission de jouer au Nintendo après avoir bien travaillé. Les récompenses devraient, autant que possible, être gérées et accordées dans un contexte stable; sans enlever une marge de spontanéité au parent, il est en effet souhaitable, tant pour le parent que pour l'enfant, que l'un comme l'autre sachent clairement «à quoi s'en tenir». Ce contexte permet d'éviter la tentation, du côté du parent de remettre en question la récompense si certains autres aspects du comportement ont été négatifs, et la tentation de la part de l'enfant, d'une négociation constante et parfois harcelante.

Prévoir avec l'enfant les situations inhabituelles

Les stratégies éducatives que nous venons de mentionner s'appliquent en général à des situations qui se passent à la maison. Mais on peut également en appliquer les principes dans différents contextes, que ce soit les sorties au restaurant, à l'épicerie, au centre d'achats ou ailleurs. Quel que soit le contexte, on peut entrevoir à l'avance avec l'enfant la séquence des activités à venir, en définir clairement les attentes, et identifier avec lui quelles conséquences entraîneront ses comportements. Cette attitude préventive est très souvent précieuse, parce que pour l'enfant avec un déficit d'attention-hyperactivité, les situations inhabituelles et non familières suscitent fréquemment chez lui des comportements que l'on juge inacceptables. Cette difficulté s'explique par sa grande impulsivité, qui a avantage à être encadrée et canalisée par une certaine routine.

Ainsi, avant le départ pour une sortie, des ententes peuvent être formulées avec l'enfant. De plus, si le contexte s'y prête, certains encouragements pourront venir soutenir ses efforts pendant la sortie. Voici un exemple: Une mère prend le temps de s'asseoir quelques instants avec son enfant pour planifier leur sortie: «Nicolas, il faut qu'on aille ensemble au centre commercial. D'abord, on va aller à l'épicerie, ensuite au magasin acheter des souliers pour maman. Après, on passera chez le nettoyeur, puis à la quincaillerie acheter les quatre vis dont papa a besoin pour réparer la porte. Tiens, je te confie tout de suite un modèle de la vis; tu la laisses bien au fond de ta poche, sans la perdre, et tu me la redonneras au magasin. Comme on n'a pas beaucoup de temps, je ne veux pas que tu t'éloignes de moi. On n'aura malheureusement pas le temps d'aller voir les jouets, mais si tu restes avec moi, on pourra s'offrir une crème glacée en sortant de la quincaillerie?... Alors ça te va? Tu restes avec moi, et tu auras droit à un cornet de crème glacé après l'achat des vis. Tu comprends bien?» En route, on peut répéter le programme prévu, puis ajouter en lui prenant la main ou en lui caressant les cheveux: «C'est amusant de sortir ensemble sans se chicaner, tu ne trouves pas? Et c'est bien que tu puisses m'aider à acheter les bonne vis pour papa, il va être content!»

Ce même genre d'approche s'applique également à des situations inhabituelles à la maison, comme la venue de visiteurs, la planification d'une activité où les parents ne veulent pas être dérangés, une fête spéciale, etc. Ici encore, il s'agit de prévoir avec l'enfant les séquences à venir, de lui expliquer ce qui est planifié, quelles sont les attentes et les conséquences qu'entraîneront ses comportements. L'exemple qu'on vient de donner n'est que l'illustration d'une situation concrète. De tels exemples ne doivent jamais être utilisés comme des recettes ou des modèles exacts sur la façon de s'y prendre avec son enfant; toutefois ils donnent une indication aux parents sur une forme d'approche, et la manière dont ils peuvent l'utiliser. Ce sera aux parents eux-mêmes, selon la modalité qui leur convient le mieux, de reproduire une situation de complicité partagée; ils en arriveront ainsi à accompagner efficacement leur enfant pour qui la nouveauté est toujours un défi d'adaptation, et ils encourageront les efforts qu'il fait pour ajuster son comportement à ce qu'on attend de lui. Il va de soi que ces gestes ne s'imposent pas de l'extérieur selon un modèle pré-établi, mais qu'ils doivent sans cesse être réinventés par les parents, et pour le bénéfice de leur propre enfant.

Amener l'enfant à contrôler son comportement grâce à la pensée

On reproche parfois aux stratégies d'inspiration behaviorale comme l'attention positive ou l'utilisation de récompenses, de se situer en quelque sorte «en dehors» de l'enfant et de tenter de modifier son comportement uniquement par les conséquences extérieures, sans faire suffisamment appel à sa capacité de penser et de se contrôler lui-même. La logique ne devrait-elle pas plutôt nous inciter à agir plus directement sur les difficultés spécifiques de l'enfant, en particulier sur les problèmes d'impulsivité et d'inattention? C'est en tout cas le point de vue de l'approche dite «cognitive», une approche d'intervention d'abord préoccupée d'apprendre à l'enfant «comment penser» plutôt que d'insister sur «comment se comporter» comme l'approche behaviorale. Ce type d'intervention visera donc surtout à développer chez lui sa capacité de réflexion et une certaine logique au niveau de ses actions. On favorise l'apprentissage d'une façon de penser qui sera susceptible de contrecarrer son inattention et son impulsivité. Ainsi, avant de faire une tâche, on lui dit qu'il doit d'abord faire un temps d'arrêt, comme s'il avait une sorte de lumière rouge dans sa tête qui lui disait «Arrête» (cesse toute activité), «Écoute» (ce qu'on te dit, ce qui se passe), «Regarde» (ce qu'il faut faire), «Pense» (à comment tu vas t'y prendre). Ce qu'on tente, c'est en fait de l'habituer à faire quelque chose qui est comme l'équivalent de «se tourner la langue sept fois dans la bouche avant de parler».

L'approche cognitive a suscité le développement de plusieurs programmes d'entraînement à l'auto-contrôle, autant en ce qui a trait à l'impulsivité, qu'en ce qui concerne la relation avec les pairs ou l'accomplissement de tâches académiques. Tout comme pour l'approche behaviorale, il faut dire que l'approche cognitive n'est pas non plus une solution-miracle. Que ce soit au niveau du comportement ou du processus de la pensée, les progrès observés chez ces enfants ont en effet tendance à se limiter au contexte spécifique de l'entraînement et ils ne résistent en général pas très bien à l'épreuve du temps. Par contre, certains aspects de l'approche cognitive sont utilisés quotidiennement à l'école ou à la maison, la plupart du temps associés à des modalités de renforcement ou de récompense. C'est ce que fait la mère de Nicolas lorsqu'elle lui répète la séquence des activités à venir et ce qu'elle attend de lui; c'est aussi ce que fait l'enseignante de Philippe au chapitre 1, lorsqu'elle utilise une affiche qui explicite la logique de l'action proposée: «Dans notre classe, lorsqu'il y a un travail, on s'entend pour 1) écouter attentivement les directives, 2) se mettre immédiatement à la tâche, 3) ne pas déranger les autres lorsque son propre travail est terminé.»

Ce qui permet le changement et la complémentarité des moyens

Certains chercheurs ont voulu savoir à quoi les enfants attribuaient certains changements de leur comportement dans le cadre de différents programmes d'intervention. Or les réponses qu'ils ont obtenues étaient extrêmement éclairantes et stimulantes. Plus on observait une amélioration de l'auto-contrôle et une réduction de l'hyperactivité, plus l'enfant attribuait la cause des changements à ses propres ressources. C'est en somme comme si le succès d'une intervention devait passer par l'enfant, par le sentiment qu'au bout du compte, c'est lui le maître d'oeuvre, l'acteur central de la démarche proposée par tout programme d'intervention.

L'importance que l'enfant se perçoive lui-même comme responsable du changement a amené à concevoir des interventions dont l'objectif était justement de développer chez lui ce sentiment d'être l'élément-clé dans le contrôle de son comportement, plutôt que de l'attribuer à un médicament, à l'attitude d'un enseignant, ou à la réaction de tel compagnon, etc. Un jour un enfant a merveilleusement bien illustré cette dimension importante dans l'aide qu'on tentait de lui apporter. Je revoyais un mois plus tard un garçon de onze ans, à qui j'avais prescrit du Ritalin. À ma question: «Et puis, comment ça va?», la mère me répond tout de suite: «Avec le Ritalin, ça va beaucoup mieux». Et l'enfant, avec son impulsivité caractéristique, de répliquer fermement: «Ce n'est pas le Ritalin, c'est moi!»

Cet exemple illustre aussi qu'il est en général plus efficace, pour l'intervenant, de conjuguer plusieurs approches, plutôt que de se borner à une seule: la dernière venue, celle qui promet de déclasser toutes les autres et qui apporte enfin «la» réponse... Conjuguer plusieurs approches, c'est peut-être donner du Ritalin, en même temps qu'examiner avec l'enfant le rôle que lui-même peut jouer pour être attentif et se contrôler, l'encourager systématiquement dans ses efforts, lui offrir, ainsi qu'à sa mère, un support émotif, etc. Avec le temps, certains professionnels arrivent à puiser avec art dans différentes approches, et à enrichir les limites de l'une par les forces de l'autre. Les composantes physiologiques, comportementales, cognitives, émotives, ou sociales, forment un tout complexe; il serait limitatif et injuste de réduire notre compréhension de l'enfant à une seule de ces dimensions. D'ailleurs les parents sont en général intuitivement sensibles à la globalité de ce que vit leur enfant, et deviennent parfois un peu sceptiques face à un professionnel pour qui tout semble trop simple à comprendre et facile à solutionner.

Les groupes d'entraide

Les groupes de parents qui ont un enfant avec un déficit d'attention-hyperactivité, ou plus rarement les groupes pour frères et soeurs, peuvent devenir une importante source de support émotif, ainsi qu'une source d'aide concrète selon les besoins et l'évolution de chacun.

On a déjà souligné qu'à cause des symptômes que présente l'enfant avec un déficit d'attention-hyperactivité, la famille se trouvait souvent plus ou moins privée du support de son entourage, que ce soit la famille, les voisins ou les amis, support dont bénéficie plus spontanément la famille d'un enfant avec un handicap physique, ou la famille qui vit une situation de crise particulière. Bien plus, on a déjà mentionné comment les parents se sentaient facilement jugés par cet entourage qui pouvait porter un regard sévère et injuste sur leurs compétences comme éducateurs. Dans ce contexte, il est facile de comprendre combien précieux peut devenir un groupe où il est possible de partager librement ses émotions avec d'autres parents qu'une expérience semblable a rendus capables non seulement d'une écoute dépourvue de tout blâme, mais aussi capables d'une compréhension profonde et d'une complicité unique.

Le partage peut varier selon les groupes; il ira par exemple d'un échange de stratégies éducatives, à la mise sur pied d'un réseau de gardiennes, en passant par l'échange d'informations sur la façon efficace dont tel enseignant s'y prend, ou la façon dont on a réussi à améliorer l'épineuse question des devoirs. L'expérience montre que ce que vivent les groupes de parents est très variable d'un groupe à l'autre, tant au niveau de leur structure, de leur rythme de rencontres, que de leurs objectifs. Mais comme dans toutes les autres formes d'aide, ce sont ici les ressources conjuguées des personnes en présence qui vont constituer l'élément de base sur lequel s'appuiera une alliance positive qui permettra le changement.

L'accompagnement le plus utile consiste à aider les parents à mieux voir les qualités de leur enfant, ainsi qu'à apprécier ses efforts et ses réussites. Cet accompagnement les aide aussi à formuler et à mettre en pratique des approches éducatives qui se grefferont aux leurs; il leur permet également de voir les bons moments qu'ils procurent à leur enfant dans une journée, et ce malgré le difficile handicap qui menace souvent son équilibre. Selon les personnes et selon les circonstances, cette aide peut être apportée grâce au support du conjoint, par l'intervention spontanée d'un membre de l'entourage, par le biais d'une intervention professionnelle, ou par le partage au sein d'un groupe d'entraide. Cette forme d'aide ou de support peut inclure toute la famille ou les besoins particuliers que peuvent avoir les frères et soeurs; c'est le cas de certaines approches en thérapie ou de certains groupes de support. L'aide peut s'adresser directement à l'enfant, comme c'est le cas par exemple du chauffeur d'autobus ou de l'enseignante de troisième année dans l'histoire de Philippe. Elle peut s'adresser au parent comme tel, comme dans le support émotif reçu au sein d'un groupe de parents, ou auprès du couple, comme dans une thérapie conjugale. L'aide peut également viser à améliorer l'interaction vécue entre le parent et l'enfant, comme dans les programmes centrés sur l'apprentissage d'habiletés éducatives spécifiques.

Aider le parent d'un enfant avec un déficit d'attention-hyperactivité peut ressembler, par analogie, au rôle que joue un bon guide sur l'observation des oiseaux: il aide à centrer l'attention sur les oiseaux susceptibles d'être retrouvés dans l'environnement de l'observateur. C'est alors étonnant de constater combien le fait de reconnaître les caractéristiques de tel oiseau et surtout de réussir à l'observer une première fois dans tel environnement, rend plus sensible à sa présence et permet d'en repérer plusieurs autres par la suite; le fait d'être plus attentif et plus confiant de revoir cette espèce d'oiseaux ouvre soudainement à leur présence. En poursuivant la comparaison, on pourrait dire qu'un bon support pour le parent, c'est souvent simplement de l'aider à centrer son attention sur certaines caractéristiques intéressantes qui sont présentes chez lui, chez l'enfant et dans leur environnement; après avoir réussi à observer ces caractéristiques positives une première fois, le parent les voit plus facilement et apprend à miser sur elles pour favoriser l'évolution de l'enfant et le mieux-être de chacun.

CHAPITRE

10

L'ÉCOLE

L'école est un milieu de vie exigeant et formateur qui joue un rôle important dans le développement de l'enfant. Elle lui apporte la stimulation et le cadre dont il a besoin pour soutenir et développer ses capacités intellectuelles, ses goûts, ses aptitudes et son besoin de socialisation. Elle lui permet également de développer une image de soi qui va contribuer à alimenter ses aspirations et ses rêves d'avenir.

Nous allons donc aborder cette réalité scolaire et présenter à tour de rôle les différents acteurs impliqués, sous l'angle de leurs attentes et de leurs limites. Nous parlerons ensuite de la complémentarité de l'action éducative, du milieu scolaire et du milieu familial, pour en arriver finalement à identifier quelques stratégies spécifiques, susceptibles d'aider l'enfant à composer avec ce grand défi qu'est l'école.

Un projet continu et exigeant

Entrer à l'école, c'est s'engager dans ce grand projet continu qui dure environ douze ans. L'école est un milieu vivant, dynamique et compétitif; ce n'est pas comme un travail ou un emploi, mais plutôt comme un processus continu d'apprentissage et de développement sur lequel toute la famille et l'entourage ont les yeux rivés. Combien de fois, en effet, l'enfant ne se verra-t-il pas demander: «Et puis, dis-moi, comment ça va à l'école?» C'est qu'à l'école, l'enfant est suivi de près et demeure évalué de façon continue à tous les trois ou quatre mois. De plus, non seulement on espère, mais on s'attend à ce qu'il réussisse. Si par exemple il est promu de la troisième à la quatrième année, il démontre ainsi à ses parents qu'il est sur la bonne voie, qu'il réussit, qu'il pourra sans doute également réussir plus tard, et que ses parents eux aussi réussissent.

Les adultes ne comprennent peut-être pas assez combien la vie peut être difficile pour un enfant équipé de façon inadéquate, et qui doit faire face à ce long et exigeant projet qu'est l'école. L'enfant avec un déficit d'attention-hyperactivité fait justement partie de cette catégorie d'enfants mal outillés, pour qui l'école ne sera parfois qu'un long cauchemar, ou qu'une expérience à peine plus réjouissante.

Composer avec les personnalités, les attentes, les limites et les ressources disponibles

L'enseignant

Par l'importance de son rôle tout au long du processus d'apprentissage, l'enseignant peut vraiment faire pour l'élève une différence, parce qu'il est au coeur même de l'évolution de tous les projets individuels. Au même titre que les autres milieux de vie, le milieu scolaire reflète la diversité et regroupe des personnes fort différentes les unes des autres. Ainsi, on y retrouve des enseignants avec des aptitudes d'adaptation qui vont permettre à l'enfant de vivre plus facilement avec sa différence; par contre, on en retrouve d'autres qui ont moins cette facilité. Il y a des enseignants qui sont tout simplement incapables de composer avec «un enfant hyperactif»; ils se sentent irrités, et ils ont de la difficulté à accepter les comportements défiants d'un tel élève. De plus, ils trouvent difficile de composer avec les fréquentes interruptions du rythme normal des activités de «leur» classe, et perçoivent l'enfant comme incapable de comprendre certaines règles de base qui sont pourtant élémentaires; pour eux, ces règles sont un préalable au bon fonctionnement du groupe, ce groupe qu'ils se doivent de mener à bon port à tous les mois de juin... Il y a donc des enseignants qui acceptent de se laisser questionner, de modifier certaines normes, qui acceptent les particularités de certains enfants; d'autres qui l'acceptent moins. Il y a des enseignants qui s'accommodent d'un enfant différent dans leur classe, d'autres qui trouvent au contraire que cet enfant n'a pas sa place dans une classe régulière.

Lorsqu'au mois d'août, je revois l'enfant accompagné de ses parents et que nous discutons de l'année qui s'en vient, ceux-ci me disent souvent: «Mais en fait, ça va dépendre de l'enseignant». Et je pense qu'ils ont bien raison. Mais je me dis aussi: «Ça va également dépendre de l'enfant et de ses parents».

L'enfant

L'enfant va à l'école avec sa motivation, son énergie, sa différence et ses difficultés. Il s'attend à une grande compréhension des adultes. Qu'ils comprennent par exemple qu'il ne le fait pas exprès, que c'est souvent plus fort que lui si son geste ou sa parole fuse avant même qu'il n'y ait pensé. Qu'ils comprennent que ce lieu d'apprentissage qu'est l'école fait de plus en plus appel, au fil des années, à des ressources individuelles et à des habiletés personnelles qui sont au centre même de ses propres difficultés. Cet élève devient ainsi de plus en plus à risque d'échec, à risque de se retrouver un «bon à rien», ou du moins bon à rien dans le contexte des attentes scolaires. Il risque de devenir agressif, ce qui est facile dans son cas étant donné son impulsivité. Il risque de développer des problèmes de comportement qui vont devenir «le problème» et drainer les énergies de chacun, à l'école comme à la maison. Il a déjà entendu dire que certaines de ses difficultés allaient s'améliorer avec le temps, mais l'amélioration n'est jamais aussi rapide que les exigences croissantes de l'école.

Enfin, il a besoin que les adultes sachent que lui aussi veut réussir comme les autres enfants. Il veut être intégré et faire partie de la classe au même titre que tous les autres élèves.

Les parents

Les parents sont probablement ceux qui portent en eux les plus grandes attentes, tant à l'égard de leur enfant, de l'école que d'eux-mêmes. Ils prennent conscience que leurs attentes doivent progressivement s'harmoniser avec la reconnaissance de limites incontournables; et ces limites, nous savons qu'ils en rencontreront plusieurs au fil des années. Pour les parents, accepter des limites, cela veut dire accepter que l'école n'est pas parfaite et qu'elle ne peut assumer à elle seule les difficultés de l'enfant, ni les contourner. Accepter des limites, ce sera progressivement faire face à la réalité et reconnaître que les difficultés scolaires ont un caractère de permanence. Ce sera également accepter que l'école ne comprend pas toujours très bien le défi que l'ont vit à la maison (voir le chapitre sur la famille) et qu'en conséquence, les parents ne peuvent absorber tout l'impact de l'apprentissage scolaire, avec son ensemble de difficultés et tous les problèmes que l'enfant peut poser à l'école.

Les ressources du milieu scolaire

La majorité des enfants avec un déficit d'attention-hyperactivité ont besoin d'une aide en milieu scolaire. Pour les cas légers, cette aide peut prendre la forme d'une attention particulière ou d'un support d'appoint venant de l'enseignant régulier. Parfois, ce sont les ressources orthopédagogiques de l'école qui interviennent auprès de l'enfant sur une base individuelle, ou auprès d'un petit groupe d'enfants. Quant à ceux qui présentent des troubles d'apprentissage, des retards plus importants, ou des problèmes plus sérieux de comportement, l'école peut offrir le recours d'une classe adaptée avec un nombre réduit d'élèves. Selon le type d'enfants regroupés, cette classe pourra correspondre tantôt assez bien à ses besoins, tantôt cependant très peu.

Les classes spéciales ou adaptées demeurent souvent des entités instables à l'intérieur de la structure des commissions scolaires. Elles se font et se défont d'une année à l'autre, parfois même dans des écoles différentes. Leur nom aussi peut changer, allant de la «classe d'aide» à la «classe ressources» à la «classe de troubles de comportement et de conduite». Tous ces changements sont reliés au fait que les enfants avec des besoins spéciaux varient d'une année académique à une autre, à l'intérieur d'une même commission scolaire. Cette dernière doit en effet composer avec un certain nombre d'enfants, différents types de besoins, des ressources humaines en place, des politiques d'intégration , des espaces disponibles, la provenance géographique. Pour les parents, il est souvent difficile de s'y retrouver. Pourtant, il est important qu'ils restent toujours présents et bien informés. En effet, dans les situations où il y a beaucoup de changements, les parents sont souvent les seuls à pouvoir faire ressortir les éléments pertinents dans une perspective de continuité, à indiquer aux intervenants ce qui a été tenté, ce qui a fonctionné, comment l'enfant a réagi. De plus, dans les situations plus complexes, ils peuvent exiger un plan de service individualisé auquel l'enfant en troubles d'apprentissage a droit. Ce plan est une très bonne base sur laquelle les parents pourront toujours revenir en cours d'année si les services ne sont pas en place tels que planifiés. Ajoutons que les parents doivent éviter de buter sur l'appellation donnée à la classe, car elle ne reflète pas nécessairement le type de difficultés du groupe d'enfants. De plus, au-delà de la planification sur papier, ils doivent aller voir de plus près quelles sont les complicités qu'ils peuvent établir avec le personnel en place. Celle-ci est souvent déterminante dans la qualité de vie que leur enfant aura à l'école.

Un préalable à l'action : certaines informations pertinentes

Sur le déficit d'attention-hyperactivité

Que l'information vienne du parent, du conseiller pédagogique, du psychologue ou de tout autre intervenant, il est important que l'enseignant ait accès à l'information disponible relative à l'entité qu'est le déficit d'attention-hyperactivité. S'il doit passer six heures par jour pendant toute une année avec un enfant, il a besoin de savoir quel est son problème, quelle est la nature de ses difficultés et quelles sont les approches les plus susceptibles de l'aider.

Sur l'enfant

Lorsque nous pensons à l'information qui circule d'une année scolaire à l'autre, le parent a souvent l'impression en discutant avec le nouvel enseignant, que le transfert de son enfant s'est limité à «je te passe un hyperactif, bonne chance!» Le parent constate que le fruit de l'expérience d'une année de travail n'a pas été transféré, c'est-à-dire ce qui a bien fonctionné dans le passé, ce qui n'a pas fonctionné du tout, ce qu'il faut surveiller, ainsi que le type de communication qui a été développé avec les parents. Il arrive souvent qu'en ce qui concerne les enfants en difficulté, certains enseignants veulent en savoir le moins possible, «pour ne pas avoir de préjugés» disent-ils, pour «lui donner sa chance de recommencer à neuf».

Mais en début d'année, une bonne connaissance de l'enfant et de ses difficultés pourrait éviter à l'enseignant de devenir trop interactif ou trop autoritaire avec l'enfant. Une mauvaise connaissance de départ peut mener à une relation mutuellement frustrante où chacun en arrive à ne voir que le côté négatif de l'autre. Des études ont démontré qu'en début d'année, une attitude ferme est plus indiquée qu'une attitude d'emblée plus tolérante, mais dont le ton se durcit au fil des mois.

Deux actions qui se soutiennent et se complètent: l'école et la famille

Communication et complémentarité

Les cheminements les plus intéressants qu'il nous a été donné d'observer, ont souvent été le résultat d'une étroite communication école-famille. Nous avons parfois été témoins de situations où l'enseignant savait utiliser dans sa classe des façons de faire suggérées par les parents. Après avoir vécu sept à huit ans avec leur enfant, il n'est d'ailleurs pas surprenant que les parents deviennent parfois des experts en ce qui le concerne. Également, nous avons été témoins de familles qui ont bénéficié, dans le contexte de leur vie quotidienne, de stratégies élaborées en milieu scolaire. Cette réciprocité souligne l'avantage d'être souple et ouvert aux suggestions, afin de mettre à profit toutes les expériences positives et pertinentes.

L'école, comme agent dans le développement de l'enfant et comme milieu de vie, a bien sûr certaines particularités; ainsi, sa structure et la nature de ses exigences font que les difficultés de l'enfant avec un déficit d'attention-hyperactivité y ressortent avec acuité. Des recherches ont souligné qu'une continuité dans les moyens éducatifs utilisés à la maison et à l'école renforçait les effets positifs recherchés. En effet, les progrès apparaissent plus importants et plus durables si l'école et la famille respectent les mêmes principes d'action auprès de l'enfant, assurant ainsi une cohérence entre les deux milieux de vie. Les parents reconnaîtront donc dans les stratégies éducatives qui suivent, les mêmes principes que ceux avancés au chapitre 9, en ce qui concerne le milieu familial.

Les devoirs: l'école à la maison

Au chapitre 3, nous avons mentionné que les enfants avec un déficit d'attention-hyperactivité étaient beaucoup plus efficaces le matin qu'en fin de journée et qu'ils avaient davantage de difficultés avec les tâches qui sont moins gratifiantes. Pour un enfant qui en a déjà plein les bras de sa journée, un supplément ou un complément de travail académique est souvent de trop. Que faire alors? Laisser tomber les devoirs? On en aurait bien envie! Mais l'enfant a des retards académiques et des troubles d'apprentissage, alors il semble qu'il faille au contraire en faire le plus possible pour compenser et rattraper... Être capable de prendre des distances par rapport aux devoirs, c'est reconnaître que son enfant a des difficultés chroniques et que, comme parents, il est impossible de remédier complètement à toutes ses difficultés.

Il n'y a pas de solution unique à ce qui doit être fait avec les devoirs; chaque situation est particulière. Les devoirs sont un bel exemple de ce qui peut être discuté et déterminé avec l'enseignant, le parent et l'enfant. J'ai souvent été témoin d'ententes sur les devoirs qui étaient des bijoux d'adaptation. De part et d'autre, les moyens sur lesquels on s'entendait étaient clairs: on définissait par exemple ce qui constituait un temps raisonnable de travail et on s'entendait sur les moyens de communication à utiliser pour signaler ces fameux soirs où «rien ne va». Ajoutons que l'enfant travaille habituellement mieux dans un contexte où il peut être supervisé de près et encouragé. Cela peut sembler paradoxal, mais pour l'enfant avec un déficit d'attention-hyperactivité, le coin de la table de cuisine est souvent préférable au silence et à l'isolation de sa chambre, où il est difficile de le superviser et de le supporter.

Quelques stratégies susceptibles d'aider l'enfant en milieu scolaire

Accorder de l'importance au côté académique
Devant l'ensemble des difficultés que présente l'enfant, on a souvent tendance à se centrer sur ses difficultés de

comportement en tenant pour acquis que, si le comportement est mieux contrôlé, le côté académique s'améliorera également. Mais tel n'est pas forcément le cas. Se centrer sur le travail académique peut très souvent améliorer le comportement lui-même; compte tenu de la valorisation sociale que le succès académique apporte à l'enfant, cette constatation n'est pas surprenante. La récompense la plus naturelle en milieu scolaire n'est-elle pas de bien comprendre et d'avoir de bonnes notes?

Une approche individualisée et centrée sur le renforcement

Comme pour l'intervention en milieu familial, il faut également éviter les objectifs trop généraux, et les moyens qui ne sont pas suffisamment précis. Quelles sont les situations qui nuisent le plus aux apprentissages de l'enfant? Dans quelle matière a-t-il le plus de difficultés? Dans quelles circonstances les difficultés ressortent-elles davantage, est-ce au retour de la récréation, en fin de journée ou à tel autre moment?

Selon la sévérité des difficultés de l'enfant, un programme individuel adapté peut être élaboré. Ce genre de programme comprend parfois des objectifs quotidiens qui peuvent être scindés en demi-journées; les objectifs sont alors fixes et comptabilisés en fin de journée dans un cahier que l'enfant apporte à la maison afin d'être signé par le parent. L'atteinte des objectifs peut être ensuite associée à l'obtention de certains privilèges ou récompenses; on se rappelera ici les principes énoncés en ce qui concerne la gestion des récompenses dans le milieu familial : les exigences sont simples et précises, les récompenses sont fréquentes, variées et données de façon presque immédiate. Idéalement, l'enseignant, le parent et l'enfant dressent ensemble une liste des privilèges qui pourront être accordés soit en classe, soit à la maison. Un système de jetons s'est souvent révélé une méthode utile pour la gestion des récompenses. Certains privilèges correspondent en effet à un certain nombres de jetons, et ces derniers peuvent être échangés, servir à acheter ou à louer des récompenses ou des privilèges, selon les termes de l'entente préalable.

L'attention positive et l'attention négative

Il a été démontré que l'attention positive, le sourire, le clin d'oeil, la petite tape sur l'épaule au passage, étaient loin d'être négligeables, surtout si ceux-ci étaient donnés immédiatement après le début d'un comportement approprié. Le renforcement peut être adressé directement à l'enfant: «Tu as très bien compris», ou à tout le groupe:«Je voudrais féliciter tous ceux qui sont déjà à leur tâche». On a malheureusement tendance à négliger l'attention positive, surtout si l'enfant va bien. Il faut donc être vigilant et se donner des petits trucs pour ne pas oublier d'encourager l'enfant, un peu comme le faisait l'enseignante de Philippe au chapitre 1. Le fait, par exemple, que le pupitre de l'enfant soit près de l'enseignant facilite l'utilisation de l'attention positive et l'exploitation de toute autre occasion d'encouragement à l'enfant.

L'attitude qui consiste à ignorer systématiquement les comportements dérangeants qui visent à attirer l'attention, demeure difficile à appliquer dans le contexte d'une salle de classe. De plus, il est loin d'être prouvé que les écarts de comportements chez ces enfants soient nécessairement associés à un besoin ou à une recherche d'attention. Lorsqu'elle est indiquée ou nécessaire, la réprimande devra être brève, immédiate et libre de toute charge émotive.

Particularités et stigmatisation

À cause de la souplesse de sa structure, la classe à aire ouverte demeure un contexte de travail plus difficile pour ce type d'enfants. Idéalement, des courtes périodes de travail interrompues par des pauses sont pour cet enfant un moyen d'augmenter sa «productivité». Il y a aussi avantage à concentrer dans les avant-midi les tâches plus exigeantes, tenant ainsi compte du fait qu'il fonctionne mieux durant cette période. Il bénéficie également d'une classe structurée, où le déroulement des activités est prévisible et bien organisé, ainsi que d'une classe avec un plus petit nombre d'élèves.

Certains se demandent si l'utilisation de l'attention positive et la mise sur pied d'un système de récompenses ou de jetons, ne sont pas de nature à stigmatiser l'élève par rapport aux autres enfants de sa classe. Nous entendons parfois cette réserve de la part de certains enseignants qui, au nom de l'égalité, ont de la difficulté à adopter une approche différente auprès d'un seul enfant en particulier. Des recherches ont pourtant souligné que cet aspect n'avait pas vraiment posé de problèmes pour ceux qui avait utilisé ce genre d'approche. La plupart du temps, l'enfant est déjà tellement particularisé, que le fait de recevoir des jetons sera moins stigmatisant pour lui que d'être isolé dans le corridor pour mauvaise conduite.

Pour tout enseignant, la présence dans sa classe d'un enfant avec un déficit d'attention-hyperactivité représente des exigences qui sont au-delà de sa disponibilité habituelle. Il nous apparaît donc important que cet enseignant, lorsqu'un tel enfant lui est confié, puisse rapidement avoir accès à toute l'information pertinente, ainsi que bénéficier d'un encadrement et d'un suivi de la part des ressources spécialisées du milieu scolaire.

De son côté, l'enfant a droit à ce que cette importante étape qu'est l'école, soit la plus heureuse et la plus constructive possible. Essayons seulement de nous imaginer ce que peut représenter pour lui le fait d'aller tous les matins en classe, et ce pendant dix ans, dans un milieu où il ne réussit pas, où il se sent incompris, où il apprend peu de choses et où le message qu'il perçoit est qu'il est inattentif et turbulent. Nous aimerions rapporter ici les résultats d'une recherche faite auprès d'adultes avec un déficit d'attention-hyperactivité. Ces derniers soulignaient que l'attitude bienveillante, l'attention supplémentaire et l'accompagnement dirigé dont ils avaient été l'objet à l'école avaient été un «point tournant» qui les avait aidés à contourner leurs difficultés. On souhaiterait que ces mêmes adultes reviennent faire cette confidence à l'oreille des enseignants qui doutent parfois de l'utilité des efforts qu'ils déploient pour accompagner l'enfant avec un déficit d'attention-hyperactivité au coeur du lourd défi que l'école représente pour lui.

CHAPITRE

1 1

ADOLESCENCE ET PERSPECTIVES D'AVENIR

Qu'arrive-t-il aux enfants avec un déficit d'attention-hyperactivité lorsqu'ils grandissent et quelles sont leurs perspectives d'avenir? En fait, dès que le diagnostic est posé, et plus particulièrement si ce diagnostic est posé tôt, cette question de l'évolution et de l'avenir de tels enfants est inévitablement soulevée. Cela se passe souvent au moment de la discussion sur la médication, lorsque le parent demande: «S'il en prend ce sera pour combien de temps?» Cette question nous mène au coeur même de l'évolution de l'entité, et nous force également à considérer le pronostic. Même si nous avons à plusieurs reprises fait référence à certains aspects reliés à cette question, nous aimerions l'aborder ici plus spécifiquement, en parlant brièvement de l'adolescence et de la vie adulte.

L'adolescence

Dans le contexte d'une adolescence normale, les parents reconnaissent que les modes de communication et d'inter-relation de leurs enfants se transforment; ils voient appa-raître une forme d'opposition et d'affirmation de soi qui n'étaient pas là auparavant, ou du moins pas à un tel degré. Ils se demandent alors si ces changements sont passagers et reliés à l'adolescence même, ou si c'est le profil du futur adulte qui est en voie de se dessiner. Les parents sentent également qu'ils perdent progressivement une partie du contrôle et de l'influence qu'ils avaient jusqu'ici sur la vie de leur enfant.

Pour les parents d'un adolescent ou d'une adolescente avec un déficit d'attention-hyperactivité, ces comportements impulsifs, d'affirmation, d'opposition sont des modalités avec lesquelles ils composent depuis déjà quelques années, et le «contrôle parental» est une réalité dont ils ont vite senti les limites. Cependant, même si les parents sont déjà familiers avec certains aspects de l'adolescence et qu'ils partagent depuis longtemps avec leur jeune des expériences d'ajustements réciproques, le défi posé par l'adolescence n'en est pas moins vécu avec intensité. Les parents peuvent alors se demander dans quelle proportion l'escalade des comportements est reliée à l'adolescence, et dans quelle mesure elle peut être attribuée au déficit d'attention-hyperactivité. Des problèmes spécifiques ressortent toutefois chez ces adolescents. On retrouve chez eux et de façon assez constante, des problèmes reliés au travail scolaire, à la socialisation avec les pairs, à l'autorité tant en milieu familial que scolaire, ainsi que des problèmes d'estime de soi. La sévérité de ces problèmes rencontrés est souvent telle que l'adolescent et ses parents doivent consulter, ou selon le cas consulter à nouveau, afin de recevoir une forme d'aide.

De l'enfance à l'adolescence

Lors du survol historique, nous avons mentionné qu'il fut un temps où l'on croyait que le déficit d'attention-hyperactivité disparaissait complètement avec la croissance et le développement. Au cours des quinze dernières années, des études faites auprès d'enfants avec un déficit d'attention-hyperactivité qui avaient été observés de façon continue de l'enfance à l'adolescence ont révélé qu'un bon nombre d'entre eux, environ 50 %, ne présentaient plus, à l'adolescence, de difficultés à un degré suffisant pour permettre de maintenir leur diagnostic. Cela ne veut pas dire, cependant, que le problème avait complètement disparu, mais que le développement de l'enfant l'avait mené au point où ses caractéristiques n'étaient plus hors-normes, alors qu'elles l'étaient au moment où le diagnostic avait été posé. Ceci est tout de même un aspect encourageant.

Une de ces recherches s'est penchée sur la consommation d'alcool et de drogues à l'adolescence. Les résultats ont révélé que les adolescents avec un déficit d'attention-hyperactivité ne consomment pas plus ces substances que les autres adolescents du même âge. Toutefois, on se doit de noter que lorsque les jeunes ont des problèmes de comportements associés, la consommation est alors cinq fois plus élevée que pour le groupe normal. Si cette étude est rassurante en ce qui concerne la «consommation» lorsqu'il n'y a pas de problèmes de conduite, elle démontre par contre que les difficultés scolaires sont de leur côté bien présentes chez ce type d'adolescent et ce, indépendamment de l'existence associée de problèmes de comportement. En effet, comparativement au groupe normal, plus d'adolescents avaient abandonné l'école au moment du suivi. Cette même étude fait ressortir que les résultats des tests de rendement académique en mathématique et en lecture sont beaucoup plus bas chez les adolescents avec un déficit d'attention-hyperactivité que chez les autres adolescents. Cet aspect problématique de l'évolution scolaire illustre bien l'importance du grand défi qu'est l'école, tel que nous l'avons vu au chapitre précédent.

De l'adolescence au monde adulte

Très peu de recherches se sont penchées sur des individus au-delà de l'adolescence, c'est-à-dire d'enfants avec un déficit d'attention-hyperactivité une fois devenus adultes. L'étude la plus complète est sans doute celle qui a été menée par une équipe de l'Hôpital pour enfants de Montréal. Elle a suivi l'évolution d'un groupe sur une période de vingt ans. Les résultats de cette recherche suggèrent que, tout comme pour les adolescents, des difficultés de comportements et des symptômes spécifiques persistent encore à des degré divers chez 50 à 65 % des adultes. Cette même étude rapporte également que leur niveau de scolarité et leur statut socio-économique sont généralement inférieurs à ceux de leurs frères et soeurs, ainsi qu'à ceux des adultes du groupe contrôle. Pour ce qui est de leur emploi, ils présentent plus de difficultés dans l'organisation et la planification de leurs tâches de travail, de même qu'au niveau de leur capacité d'auto-contrôle. De plus, ils changent d'emploi plus fréquemment, et ils ont plus souvent que les autres un emploi à temps partiel, en plus de leur emploi régulier.

Cette étude démontre une certaine continuité pour ce qui est du profil des individus d'une étape de leur vie à une autre: de l'enfance à l'adolescence, puis de l'adolescence à la vie adulte. Ainsi, l'enfant qui présente un déficit d'attention-hyperactivité plus problématique parce qu'associé à des problèmes d'agressivité, d'apprentissage scolaire et une situation familiale difficile, deviendra souvent aussi un adolescent qui aura des difficultés plus grandes, puis un adulte pour lequel l'ajustement social sera plus problématique.

Pourtant, lorsque nous examinons les résultats de cette recherche, il importe de garder en tête l'élément suivant: cette continuité observée au niveau de la persistance des symptômes de l'enfance à l'âge adulte est statistiquement vraie pour l'ensemble du groupe, mais elle ne l'est pas nécessairement pour un individu en particulier. De ce groupe, il se trouve certains enfants qui ont réussi à très bien s'en sortir. Pour une raison ou pour une autre, ils ont échappé à la difficile trajectoire qui se dessinait devant eux.

Nous pouvons alors mieux comprendre combien il devient précieux d'aider l'enfant avec un déficit d'attention-hperactivité, et le plus tôt possible, afin de lui permettre de vivre des expériences positives tant à la maison qu'à l'école. Cet accompagnement en bas âge peut en effet lui permettre d'éviter d'accumuler échec sur échec, et de se considérer trop vite comme perdant. En ce sens, les données de cette recherche permettent aussi de constater que pour presque la moitié des adultes qui ont vécu avec un déficit d'attention-hyperactivité pendant leur enfance, l'avenir se dessine de façon tout aussi positive que pour les autres adultes, et ce malgré les défis de taille qui ont marqué leur enfance.

CONCLUSION

En partageant avec le lecteur mon expérience des dernières années auprès d'enfants, de parents et d'intervenants confrontés à la réalité du déficit d'attention-hyperactivité, je me fixais comme premier objectif de bien informer les parents. Pour moi, bien les informer, c'était en quelque sorte les rendre mieux aptes à bien comprendre leur enfant, et cette compréhension m'apparaissait comme un guide indispensable au niveau de l'aide qu'ils voulaient lui apporter. En ce sens, le livre s'adressait donc aux parents.

Cependant, ma première comme ma dernière pensée reste orientée vers l'enfant. En terminant, je voudrais mentionner combien il est important que ce dernier reste en tout temps partie prenante de sa réalité, c'est-à-dire qu'avec les adaptations appropriées aux circonstances, à son âge et à la sévérité de son déficit d'attention-hyperactivité, il participe le plus possible aux décisions concernant son cheminement; je pense ici à la médication, à la gestion des devoirs, à la mise en place de tout programme susceptible de l'aider. Après tout, est-ce que ce ne sont pas ses propres difficultés, ses propres efforts, et ses progrès bien à lui?

Il est donc important qu'il se sente inclus; se sentir inclus c'est déjà se sentir un peu mieux compris et respecté dans sa différence. Et il a vraiment ce besoin d'être respecté de tous ceux qui l'entourent, plus particulièrement de ceux qui comptent le plus à ses yeux: ses parents, et de savoir qu'il est de ceux qui comptent le plus à leurs yeux. L'existence d'une telle transparence est un témoignage de confiance, et je ne crois pas qu'elle puisse tromper dans tous les efforts qui sont déployés pour bien l'accompagner.

BIBLIOGRAPHIE

Références d'ordre général

Barkley, R. A. (1990). *Attention-Deficit Hyperactivity Disorder: A handbok for Diagnosis and treatment,* New-York, Guilford Press.

Dubé, R. (1990). *Hyperactivité et Déficit d'attention chez l'enfant,*(p. 5-30) Boucherville, Gaëtan Morin.

Journal of Learning Disabilities. (Vol. 22-23-24), Fév., Mars, Avril 1991 (ces trois numéros sont principalement consacrés au déficit d'attention-hyperactivité).

Journal of Child Neurology, (Vol. 6) Supplément 1991 (ce numéro est entièrement consacré au déficit d'attention-hyperactivité).

Chapitre 2

Pasamanick, B., Rogers, M., & Lilienfeld, A. M. (1956). Pregnancy experience and the development of behavior disorder in children. *American Journal of Psychiatry,112,* 613-617.

Ross, D. M., & Ross, S. A. (1976). *Hyperactivity: Research, theory, and action.* New York: Wiley.

Schachar, R. J. (1986). Hyperkinetic syndrome: historical development of the concept. Dans E.A.Taylor. (Ed), *The Overactive Child.* Clinics in Development Medicine, N° 97.

Chapitre 3

Barkley, R. A., (1991), The problem of stimulus control and rule-governed behavior in children with Attention Deficit

Disorded with Hyperactivity. In J. Swanson &L. Bloomingdale (Eds). *Attention deficit Disorders* (Vol. 4), New-York: Pergamon Press.

Douglas, V. I. (1983), Attention and cognitive problems. In M. Rutter (Ed.), *Developmental neuropsychiatry* (p. 280-329). New-York: Guilford Press.

Luk, S. (1985) «Direct observations studies of hyperactive behaviors.» *Journal of the American Academy of Child Psychiatry, 24,* 238-334.

Milich, R., & Kramer, J. (1985). Reflexions on impulsivity: An empirical investigation of impulsivity as a construct. In K. D. Gadow & I. Bialer (Eds.), *Advances in learning and behavioral disabilities* (Vol. 3). Greenwich, CT: JAI Press.

Zentall, S. S. (1985). A contexte for hyperactivity. K. D Gadow & I. Bialer (Eds), *Advances in learning and behavioral disabilities,* Vol 4 (p. 273-343). Greenwich, CT: JAI Press.

Chapitre 4

Barkley, R. A., Grodzinsky, G., DuPaul, G. J. (1992). Frontal lobe functions in attention deficit disorder with and without hyperactivity: A review and research report. *Journal of Abnormal Child Psychology, 20,* 163-188.

Beninger, J. R. (1989). Dopamine and Learning: Implications for attention deficit disorder and hyperkinetic syndrome, In Sagvolden T. & T. Archer (Eds). *Attention deficit disorder: Clinical and beasic research* (p. 232-338), Hilldale N.J.: Erlbraum.

Goodman, R. & Stevenson, J. (1989). A twin study of Hyperactivity 11 The aetiological role of gene Family Relationship and perinatal aversity. *Journal of Child Psychology and Psychiatry, 30,* 691-708.

Heilman, K. M., Voeller, K. S., & Nadeau, S. E. (1991). A possible pathophysiologic substrate of attention deficit hyperactivity disorder, *Journal of Child Neurology, 6,* 76-81.

Lou, H. C., Henriksen, L., Bruhn, P., Borner, H., & Nielsen, J. B. (1989). Striatal dysfunction in attention deficit and hyperkinetic disorder. *Archives of Neurology 46,* 48-52.

Zametkin, A. J., Nordahl, T., Gross, M., et al. (1990). Cerebral glucose métabolism in adults with hyperactivity of childhood onset, *New England Jounal of Medicine, 323,* 1361-1366.

Chapitre 5

Barkley, R. A., & Cunningham, C. E., & Karlsson, J. (1983). The speech of hyperactive children and their mothers: Comparisons with normal children and stimulant drug effects. *Journal of Learning Disabilities, 16,* 105-110.

Chelune, G. J., Ferguson, W., Koon, R., & Dickey, T. O., (1986). Frontal lobe disinhibition in Attention Deficit Disorder. *Child Psychiatry and Human Dedelopment,16,* 221-234.

Hartsough, C. S., & Lambert, N. M. (1985). Medical factors in hyperactive and normal children: Prenatal, developmental, and health history findings. *American Journal of Orthopsychiatry, 55,* 190-210.

Szatmari, P., Offord, D. R., & Boyle, M. H. (1989). Ontario child health study: Prevalence of attention deficit disorder with hyperactivity. *Journal of Child Psychology and Psychiatry. 30,* 219-230.

Szatmari, P., Offord, D. R., & Boyle, M.H. (1989). Correlates, associated impairments, and patterns of service utilization of children with attention deficit disorders: Findings from the Ontario child health study. *Journal of Child Psychology and Psychiatry, 30,* 205-217.

Zentall. S. S. (1988). Production deficiencies in elicited language but not in spontaneous verbalizations of hyperactive children. *Journal of Abnormal Child Psychology, 16,* 657-673.

Chapitre 6

American Psychyatric Association (1989), DSM III-R, *Manuel diagnostique et statistiques des troubles mentaux,* Paris, Masson; version originale: (1987), *Diagnostic and Statistical Manual of Mental Disorder,* 3e ed., Washington, A.P.A.

Chapitre 7

Abbott, D., & Meredith, W. H. (1986). Strengths of parents with retarded children. *Family Relations, 33,* 371-375.

Belsky, J., Robins, E., & Gamble, W. (1984). The Determinants of parental competence. Toward a contextual theory. In M. Lewis (Ed.), *Beyond the Dyad* (p. 251-279), New York: Plenum Press.

Burke, R. J., & Weir, T (1982). Husband-wife helping relationships as moderatos of experienced stress: The «mental hygiene» function of marriage. In H. I.

McCubbin, A. E. Cauble et J. M. Patterson (Eds.), *Family stress, coping, and social support* (p. 221-238), Springfield, Illinois: Charles C. Thomas.

Byrne, E. A., & Cunningham, G. C. (1985). The effect of mentally handicap children on families - A conceptual review. *Journal of Children Psychology and Psychiatry, 26,* 847-864.

Cochran, M. M., & Brassard, J. A. (1979). Child development and personal social networks. *Child Development, 50,* 601-616.

Mash, E. J. (1984). Les familles et les enfants problèmes. Dans A. B. Doyle, D. Gold, & D. S. Moskowitz (Eds.), *L'enfant et le stress familial* (p.85-110), Montréal: Les presses de l'université de Montréal et les Éditions de l'université Concordia.

Parke, R. D. (1986). Fathers, families, and support systems. Their role in the development of at-risk and retarded infants and children. In J. J. Gallagher & P. M. Vietze (Eds.), *Families of handicapped persons: Research, programs, and policy issues* (p.101-113), Baltimore: Paul. H. Brookes.

Tallmadge, J., & Barkley, R. A. (1983). The interactions of hyperactive and normal boys with their mothers and fathers. *Journal of Child Psychology, 11,* 565-579.

Chapitre 8

Barkley R.A, McMurray MB, Edelbrock CS, Robbins K. (1990). Side effects of methylphenidate in children with attention deficit hyperactivity disorder: a systemic, placebo-controlled evaluation. *Pediatrics, 86,*184-192.

Cunningham, C. E. Siegel, L. S. & Offord, D. R. (1985). A developmental dose response analysis of the effects of methylphenidate on the peer interactions of attention deficit disordered boys. *Journal of Child Psychology and Psychiatry, 26,*955-971.

DuPaul, G. J. & Barkley R. A. (1990). Medication Therapy. Dans R. A. Barkley, (Ed.). *Attention-Deficit Hyperactivity Disorder A handbook for diagnosis and treatment* (p. 573-612), New-York, Guilford Press.

Robin , S, S., & Bosco, J.J. (1981). *Parent, teacher, and physician in the life of the hyperactive child. The incoherence of the social environment.* Springfield, Illinois: Charles Thomas.

Chapitre 9

Abikoff, H. (1991). Cognitive training in ADHD children: Less to it than meets the eye. *Journal of Learning Disabilities, 24,* 205-209.

Alexander, J.F. & Malouf, R.E. (1984). Intervention with children experiencing problems in personality and social development. In: P.H.Mussen (Ed.), *Handbook of Child Psychology.-Vol.IV.: Socialization, Personality, and Social Development.*(E.M.Hetherington, volume editor), *chap.11,* 913-981.

Anastopoulos, A. & Barkley, R. A. (1990). Counseling and Training Parents, dans Barkley, R. A.(Ed.) *Attention-Deficit Hyperactivity Disorder. A handbook for diagnosis and treatment* (p.397-431), New-York, Guilford Press.

Braswell, L., Koehler, C., & Kendall, P.C. (1985). Attributions and outcomes in child psychotherapy.

Journal of Social and Clinical Psychology, 3, 458-465.

Bugental, D.B., Whalen, C.K., & Henker, B. (1977). Causal attribution of hyperactive children and motivational assumptions of two behavior-change approaches: Evidence for an interactionist perspective. *Child Development, 48,* 874-884.

Cunningham, C. E. (1990). A Family Systems Approach to Parent Training. Dans R. A. Barkley, (Ed.) *Attention-Deficit Hyperactivity Disorder A handbook for diagnosis and treatment* (p.432-461), New-York, Guilford Press.

Lavigueur,S. (1988). *L'approche systémique et l'approche en éducation familiale: Comparaison de l'intervention auprès des familles en difficultés.* Monographie non publiée, Université du Québec à Hull.

Lavigueur,S. (1989). *L'insularité des mères: Une approche particulière en intervention familiale.* Revue Canadienne de Psycho-Éducation, 18, 21-40.

Rhodes, W. C. & Tracy, M. L. (1977). A study of child Variance. *Interventions.* Vol, 2, Michigan: The University Press.

Whalen, C. K. , & Henker, B. (1991). Therapies for hyperactive children: Comparisons, combinations and compromises. *Journal of Consulting and Clinical Psychology, 59,* 126-137.

Chapitre 10

DuPaul, G. J., Guevremont, D. C., Barkley, R. A. (1992). Behavioral treatment of attention-deficit hyperactivity disorder in the classroom. The use of attention training system. *Behavior Modification, 16,* 204-25.

Pfiffner, L. & Barkley, R. A. (1990). Educational Placement and Classroom Management. Dans R. A. Barkley (Ed.), *Attention-Deficit Hyperactivity Disorder; A handbook for diagnosis and treatment* (p.498-539), New-York, Guilford Press.

Pfiffer, L. J., & O'Leary, S. G. (1987). The efficacy of all-positive management as function of the prior use of negative consequences. *Journal of Applied Behavior Analysis, 20,* 265-271.

Pfiffner, L. J., Rosen, L. A., O'Leary, S. G. (1985). The efficacy of an all-positive approach to classroom management. *Journal of Applied Behavior Analysis, 18,* 257-261.

Chapitre 11

Barkley, R. A. (1990). Developmental Course and Adult Outcome. Dans Barkley, R. A. *Attention-Deficit Hyperactivity Disorder A handbook for diagnosis and treatment* (p. 106-129), New-York, Guilford Press.

Barkley, R. A., Anastopoulos, A. D., Guevremont, D. C., & Fletcher, K. E. (1991). Adolescents with ADHD: patterns of behavioral adjustment, academic functioning, and treatment utilization. *Journal of the American Academy of Child and Adolescent Psychiatry, 30,*752-761.

Barkley, R. A., Fisher, M., Edelbrock C.S. & Smallish, L. (1990). The adolescent outcome of hyperactive children diagnosed by research criteria: I. An 8-year prospective follow-up study. *Journal of the American Academy of Child and Adolescent Psychiatry, 4,* 546-557.

Barkley, R. A. Fisher, M. Edelbrock, & Smallish, L. (1991). The adolescent outcome of hyperactive child diagnosed by research criteria-III. Mother-child interactions, family conflicts and maternal psychopathology. *Journal of Child Psychology and Psychiatry, 32,*233-255.

Fisher, M. & Barkley, R. A. Edelbrock, C. S. & Smallish,L. (1990).The adolescent oucome of hyperactive children diagnosed by research criteria: II. Academic, attentional, and neuropsychological status. *Journal of Consulting Clinical and Psychology, 58,* 580-588.

Robin, A. L. (1990). Training Families with ADHD Adolescents. Dans R. A. Barkley,(Ed.) *Attention-Deficit Hyperactivity Disorder A handbook for diagnosis and treatment* (p. 462-497), New-York, Guilford Press.

Weiss,G., & Hechtman, L. (1986). *Hyperactive children grown up,* New-York: Guilford Press.

Achevé d'imprimer en juin 1994
sur les presses de

IMPRIMERIE QUEBECOR
MONT-ROYAL